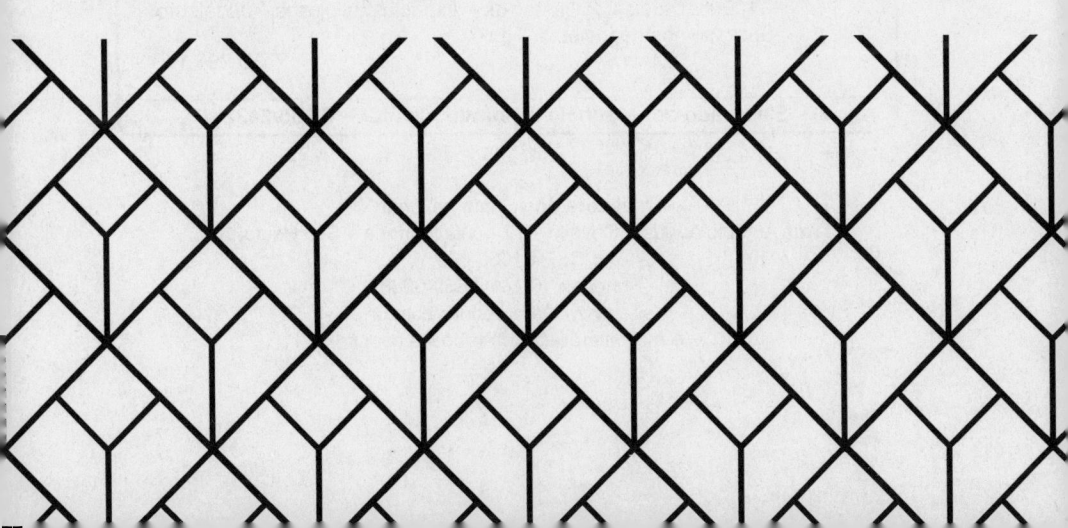

O SEGREDO DA PROSPERIDADE JUDAICA

Copyright© 2020 by Literare Books International
Todos os direitos desta edição são reservados à Literare Books International.

Presidente:
Mauricio Sita

Vice-presidente:
Alessandra Ksenhuck

Capa:
Lucas Chagas

Diagramação e projeto gráfico:
Nathália Parente

Revisão:
Camila Oliveira

Diretora de projetos:
Gleide Santos

Diretora executiva:
Julyana Rosa

Relacionamento com o cliente:
Claudia Pires

Impressão:
Printi

Dados Internacionais de Catalogação na Publicação (CIP)
(eDOC BRASIL, Belo Horizonte/MG)

A883s Attar, Dor Leon.
O segredo da prosperidade judaica / Dor Leon Attar. – São Paulo (SP): Literare Books International, 2019.
168 p. : 16 x 23 cm

ISBN 978-85-9455-096-5

1. Ética judaica. 2. Negócios – Aspectos religiosos – Judaísmo. 3. Sucesso nos negócios. I. Título.
CDD 296.1

Elaborado por Maurício Amormino Júnior – CRB6/2422

Literare Books International
Rua Antônio Augusto Covello, 472 – Vila Mariana – São Paulo, SP.
CEP 01550-060
Fone/fax: (0**11) 2659-0968
site: www.literarebooks.com.br
e-mail: literare@literarebooks.com.br

Sumário

CAPÍTULO 1: O MITO
Todo judeu é rico
15

CAPÍTULO 2: QM
Qualidade da mentalidade
23

CAPÍTULO 3: O TRIÂNGULO
Equilíbrio emocional e físico
Equilíbrio financeiro - Liberdade financeira
Viver o seu propósito na vida
33

CAPÍTULO 4: PRIMEIRO PILAR
Saúde física e emocional:
Amor - Gratidão - Alegria - Perdão
39

Sumário

CAPÍTULO 5: SEGUNDO PILAR
Equilíbrio financeiro - Liberdade financeira

O segredo da *TSEDAKA*

67

CAPÍTULO 6: TERCEIRO PILAR
Propósito de vida

Qual o meu propósito de vida?

Que legado você deixou para o mundo?

Seu legado é o seu propósito!

83

CAPÍTULO 7:
AS FERRAMENTAS PARA O SUCESSO
Alvo do conhecimento

A casa da realização

O que é "crença subconsciente"?

Os dez mandamentos para uma vida de sucesso

Criando confiança por meio das letras hebraicas

97

Sumário

CAPÍTULO 8: PLANO A - B - C

Primeira chamada: escreva tudo
Segunda chamada: procure um mentor
Terceira chamada: respire
Quarta chamada: avalie
Quinta chamada: pare de reclamar
Sexta chamada: vicie-se
Sétima chamada: ame a si mesmo
Oitava chamada: faça parcerias
Nona chamada: arrisque
Décima chamada: faça
145

CAPÍTULO 9
CONCLUSÃO
RECALCULANDO A ROTA

Sócio na criação
159

Prefácio

Confesso que fiquei muito surpreso e honrado quando Dor me convidou para prefaciar este livro com informações tão pertinentes. Considero uma atitude e uma tarefa que me causam alegria imensa! Trata-se de conhecer uma obra em sua primeira versão, cheia de sonhos, expectativas, antes de ser mostrada ao mundo.

Considero escrever algo como se revelar ao mundo, às pessoas, deixar um legado eterno, uma trilha de pistas sobre o que se aprendeu, observou-se e até se experimentou. Considero um ato de coragem de quem escreve e entrega à sociedade uma obra sempre reveladora, é como gentilmente apresentar o íntimo de seu autor, de suas intenções, sonhos, personalidade, trabalho e propósitos.

Quem conhece o Dor sabe da natureza objetiva com que lida com as situações que lhe são apresentadas. Não seria diferente no caso deste livro tão esclarecedor e desmitificador. A simplicidade e a objetividade com que são tratados os assuntos que considero mais crenças limitantes e, por isso, sinto que vem este trabalho desmitificar, estabelecendo não apenas uma nova visão, mas, muito mais, ampliar o ângulo pelo qual enxergamos a vida, sendo que a importância não se encerra aí, pois o foco vai além dos aspectos externos da realidade, daquilo que vemos e sentimos meramente, e se aprofunda nos nossos mistérios interiores, exatamente onde reside a verdadeira realidade.

O assunto prosperidade, muitas vezes, visto como um tabu para a sociedade brasileira, gerou um ambiente de degradação financeira, aumentando assustadoramente a aproximação dos patamares de desenvolvimento mínimos aceitáveis em nosso país. Admitir-se rico é como assumir uma culpa, exemplo disso são expressões populares, como 'quem tem dinheiro esconde, não exibe'. Se eu pensar no dinheiro como um amigo meu e sentir vergonha dele, como ele vai querer ficar comigo?

O livro nos ajuda, primeiro, a entender que prosperidade vai muito mais além de apenas o dinheiro em si, mas a qualidade de suas ações, mentalidade, como lidamos no nosso dia a dia e como respondemos emocionalmente a questões que a vida nos impõe. Somos convidados a uma reflexão profunda sobre como estamos lidando com nosso mundo, recebemos também uma visão mais prática e menos ilusionista dos chamados 'Dez mandamentos', acessamos alguns segredos das letras hebraicas, a única linguagem em uso no mundo atual mais fiel aos seus originais.

Em segunda fase, como já seria previsível, para quem conhece o Dor, a parte prática, o que ele considerou como Plano de ação. "Estar motivado como um elefante dentro de uma loja de presentes sem saber para onde ir..." considerei o máximo de lucidez na sua observação de pessoas após treinamentos de motivação que não estabelecem um plano de atividades caindo em solução de continuidade.

Este livro é um convite a analisarmos como nos vemos, primeiramente e como levamos essa consciência para o nosso mundo à volta. A sua leitura, ao mesmo tempo, quebra os padrões estabelecidos como normas que apenas criaram crenças que limitaram por tantos anos nossas atitudes de mudança, de avanço ao nosso melhor, bem como nos ajuda a nos transformarmos não assumindo atitudes momentaneamente emocionalistas, mas por meio de atitudes focadas a fim de serem visualizados os resultados.

Estou muito realizado e feliz por fazer este prefácio: quem quiser realizar seus objetivos, mudar sua realidade, parar de apenas ficar nos sonhos e começar a fazê--los parte de seu dia a dia, como eu, siga as páginas, capítulos e as palavras que se seguem. Valerá mais do que a pena, pois, ao ler este livro, você descobrirá que tudo está à nossa disposição, o maior desafio é recalcularmos a rota, acreditarmos e seguirmos, sem medos.

Dr. Luiz Eduardo Pessoa

Apresentação

Segredo. Basta ouvir o som desta palavra que a curiosidade fica aguçada, afinal quem não tem interesse em saber o que guarda um segredo, não é verdade?

E um dos maiores, se não o maior e verdadeiro segredo, está na existência de um "Criador", ou mais conhecido por D'us.

Este não é um livro religioso, se bem que não há nada de ruim em um livro que o leve a um nível espiritual maior e mais elevado.

O foco deste trabalho é, na verdade, ensiná-lo, encaminhá-lo, para que alcance uma melhor qualidade de vida e a transformação pessoal, que o torne um ser humano melhor.

Em cada página, encontrará novidades e revelações para a sua vida, que irão transformar sua visão e sua mentalidade, ao confrontar verdade e realidade.

Mas, existe um detalhe que, sem ele, não se pode começar o livro. Na verdade, um segredo. O primeiro: o que o povo judeu tem que o faz herdar todo o resto?

O segredo da prosperidade judaica

A promessa divina! Isso é indiscutível. Se você, por acaso, algum dia, já leu a bíblia, então fique feliz, pois você está vivendo um momento em que essa promessa está mais clara do que nunca.

Ora o Senhor disse a Abraão:

> Sai-te da tua terra, da tua parentela e da casa de teu pai, para a terra que eu te mostrarei. E far-te-ei uma grande nação e, abençoar-te-ei e engrandecerei o teu nome; e tu serás uma bênção. E abençoarei os que te abençoarem e, amaldiçoarei os que te amaldiçoarem; e em ti serão benditas todas as famílias da terra.
> Gênesis 12:1-3

Impossível separar o povo judeu ou o conhecimento judaico de D'us e, mesmo tentando, acabará dando voltas e mais voltas e chegará ao mesmo ponto de onde partiu. Há algo divino no povo judeu! Nossa missão como judeus não é deixar esses segredos só entre nós, mas sim, iluminar o mundo com conhecimento e prosperidade.

Disse mais:

> Pouco é que sejas o meu servo, para restaurares as tribos de Jacó e tornares a trazer os preservados de Israel; também te dei para luz dos gentios, para seres a minha salvação até à extremidade da terra.
> Isaías 49:6

E como no versículo em Gênesis, quando D'us fala para Abraão:

"Saia da sua casa, deixa a sua família, deixa para trás tudo que você conheceu até hoje..."

Os sábios do povo judeu nos ensinam que um dos motivos de ser abençoado e próspero é sair da zona de conforto. Portanto, deixe sua mentalidade limitada, evolua, cresça, faça o que tem de ser feito, assim como Abraão fez, e assim será próspero.

Desejo aos leitores que, além de descobrir os segredos da prosperidade judaica, saiam da zona de conforto e evoluam!

CAPÍTULO 1:
O mito

"Todo judeu é rico."

Com certeza você já ouviu e até mesmo viu, pessoas fazendo esse tipo de comentário: "todo judeu é rico", mas, com certeza, nunca da boca de um judeu...

Isso não é nada mais que um "mito" criado no mundo, por uma visão distorcida e equivocada a respeito da condição e do modo de vida dos judeus.

Vamos corrigir essa impressão, a verdade é que, sim, o povo judeu tem um dos maiores índices de milionários e bilionários, comparado à quantidade do povo judeu que é de 0,002% da população mundial.

Então, como pode ser? Como explicar um povo pequeno, em número comparado à população mundial, deter tanto poder financeiro e econômico na sociedade e países onde vivem?

Será que tem algum segredo? Será que existe algo escondido que só os judeus sabem? Ou ainda, será que tem que ser judeu para poder ficar rico?

Essas perguntas, que não passam de mera especulação, fazem com que muitas outras pessoas criem mais argumentos equivocados, e ainda mais ideias preconcebidas a respeito do "porquê judeus são ricos".

"Porque eles não se misturam com outras pessoas."

"Porque eles fazem negócios só entre eles."

"Porque eles só se casam entre eles e o dinheiro fica com eles."

"Porque eles emprestam dinheiro a juros muito altos."

"Porque eles guardam tudo o que têm e não gastam com nada."

E com essas ideias a respeito do modo de vida, e de como os judeus fazem negócios, o mundo cria outros "mitos".

Quem dera fosse isso! Mas, não! É isso mesmo que você acabou de ler: não.

Todos os judeus não são ricos, aliás, a maioria dos judeus não é rica.

Pronto, acabei de "quebrar o mito!"

Mas, o que diferencia o povo judeu, que tem o maior índice de bilionários e milionários do mundo? E mais, como podemos enquadrar isso em um livro, e, o mais importante, como alcançar a mesma prosperidade?

Etimologia

A palavra "prosperidade" se originou do latim *prosperitate, prosperare*, que significa "obter aquilo que deseja". Por sua vez, o termo latino é formado pela junção dos elementos *pro*, que quer dizer "a favor", e *spes*, que significa "esperança". Com isso, podemos entender o significado da palavra "prosperidade" como:

esperança de obter aquilo que deseja.

A prosperidade, na cabeça de muitos, está associada somente à quantidade de dinheiro e ao volume de bens materiais.

Mas, o que você vai encontrar neste livro, *O segredo da prosperidade judaica*, é a combinação de três pilares onde criamos: o triângulo da prosperidade.

Os três pilares são fundamentais para que você alcance a verdadeira prosperidade.

Não se trata apenas de obter dinheiro, e cada vez mais dinheiro, mas aprender como viver da melhor forma e com qualidade de vida. Vamos deixar bem claro que dinheiro ajuda a facilitar a vida, isso é um fato e ninguém tem dúvidas, não é mesmo?

Agora vamos pôr os pés no chão e trabalhar com a realidade. Há coisas que o dinheiro não compra, quer saber o quê? Algo importante como a sua mentalidade ou formação do seu caráter, e não importa quanto dinheiro você tenha na sua conta bancária, isso é algo que está em suas mãos!

O que importa é a sua QM, é isso mesmo, a Qualidade da Mentalidade.

Isso sim vai definir se vai alcançar a prosperidade, bem como a qualidade de sua prosperidade.

O primeiro segredo vou revelar aqui mesmo na abertura, é o seguinte:

A verdade é que o povo judeu nunca esperou alguém fazer algo por ele.

Sabe o que isso quer dizer? A resposta é muito simples, nunca pediram favores, muito menos descontos, sempre lidaram com o cenário que se apresentava no momento, seja qual fosse a situação, sempre fizeram o melhor possível. Um exemplo clássico disso é o sistema bancário, e não importa o que você acha desse sistema, sem ele, com certeza nossa sociedade e o mundo não teria avançado, se transformado e evoluído por milênios.

Quando por todo o continente europeu os judeus eram proibidos de ter terras e propriedades, a maioria dos que viviam nas áreas rurais eram funcionários dessas terras, ou inquilinos dos grandes donos de terras na Europa. Como viviam em uma pobreza imensa, muitos migravam para as grandes cidades, e nesses centros metropolitanos, as coisas não eram mais fáceis. Nesse cenário, os judeus tiveram que se adaptar e, principalmente, reinventar meios de trabalhar, de ganhar a vida e o sustento. Como se sabe, os judeus são muito unidos e conectados, muitos deles começaram a emprestar dinheiro para os fazendeiros e para os comerciantes, em troca de juros e garantias.

Com o tempo, essa prática se estabeleceu como "institutos financeiros", que hoje conhecemos como bancos.

Aqui em São Paulo, onde moro, toda indústria têxtil, desde linha e fios, até a confecção de roupas, teve seu início com a grande comunidade judaica de São Paulo. Veio com os judeus que imigraram do inferno europeu, para uma terra nova e cheia de desafios, sem reclamar e sem lamentar, fizeram o que tinha que ser feito, porque tinha que ser feito!

E isso é o primeiro segredo que revelo a vocês leitores. O mais incrível é que todos conseguem fazer isso também, basta seguir os próximos capítulos do livro, para que todos os segredos da prosperidade judaica sejam revelados!

CAPÍTULO 2:

Qualidade da mentalidade - QM

Já li muitos livros sobre mentalidade e crescimento pessoal, e encontrei muitas respostas e caminhos para muitas dúvidas que existiam na minha vida, Graças a *D'us*.
Nessa caminhada percebi algo interessante, o fato de que todos nós queremos ser felizes, todos nós queremos ser otimistas e também superar todos os obstáculos da vida.
E ainda mais, só para você ter noção de como a coisa é, todos nós já nascemos felizes e otimistas. Nunca vi uma criança depressiva ou pessimista, nunca vi uma criança que cai uma única vez, desistir de caminhar. Mas, ao longo do tempo algo acontece, algo que faz com que percamos

esse espírito. Não é para ser infantil, mas entenda: o espírito limpo e puro, sem barreiras, onde não existe o medo e tudo é possível, quando a tristeza é momentânea e a felicidade se encontra nas pequenas coisas!

Mas não sei se você sabe, como diz o ditado: tem um elefante na sala, que ninguém quer falar sobre ele!

Na maioria das vezes, nós não temos a mínima noção do que é pensamento positivo, ou ainda o que significa mentalidade construtiva.

Em outras palavras, nós temos os mais nobres motivos para prosperar na vida, mas a nossa "Qualidade da Mentalidade – QM" não está de acordo, em sintonia com nossos motivos, e tampouco com os objetivos.

A Qualidade da Mentalidade é a maior ferramenta que o levará para sua prosperidade.

E você deve estar se perguntando: como?

Vou dar um exemplo, nesses casos, é muito comum o uso do argumento de que é necessário ter o "pensamento positivo", como é importante ter "mentalidade positiva", e até mesmo a orientação de como "pensar positivo". Observe estes exemplos:

"Você não tem problemas, você tem desafios". – Você já ouviu isso, não é mesmo?

"Sorria para o mundo e ele vai sorrir de volta". – Essa é outra pérola!

Pois bem, existem milhares e milhões de frases desse tipo, e todas elas têm uma coisa em comum.

Simplesmente elas fazem você ignorar seus problemas, ou melhor, fazem de conta que tudo em sua vida está 100%... só que não!

Quando na verdade, se tudo está 100%, então por que eu tenho que melhorar?

Se tudo está ótimo e não tenho problemas, o que afinal, tenho que resolver? Ou para onde devo crescer?

Esse tipo de mentalidade é a que apresenta QM muito baixa! Chega até a ser infantil!

O segredo da mentalidade judaica para a prosperidade é você entender em primeiro lugar que:

Sim, tudo o que acontece contigo, acontece para o seu bem!

Recomendo a leitura do livro *O segredo da mentalidade judaica*.

Em segundo lugar, entender que os problemas e as dificuldades da vida têm um objetivo: fazer você crescer! E só vai crescer confrontando!

Se o seu jardim está cheio de lixo, de nada vai adiantar você só pensar ou imaginar que ele está verde e cheio de flores, não é mesmo?

Se seu relacionamento está com problemas, nada irá mudar se você apenas sorrir e achar que tudo está 100%.

Se no seu trabalho você não bate as metas e espera que o amanhã seja melhor, sem fazer algo para mudar, esteja certo de que as coisas vão piorar.

Frases para fazer pensar e refletir são ótimas, mas nada se compara a uma história da vida real que vou contar, para ajudar a entender como fazer sua QM crescer e evoluir.

Há uns anos, quando eu ainda era solteiro e morava com amigos na zona sul de São Paulo, voltava à noite do serviço e quando descia do ônibus no terminal Santo Amaro, demorava uns dez minutos de caminhada para chegar em casa. Todos os dias, quando passava na Avenida Santo Amaro, me deparava com um mendigo que estava deitado na calçada e, ao seu lado, tinha sempre como companhia um cachorro vira-lata branco.

Acredito que também era antissemita, porque quando me aproximava o suficiente para ele sentir meu cheiro, saía correndo em minha direção. Eu sempre tentei evitá-lo, correndo, é claro, desviava e cortava o caminho para não passar por perto, o que fez com que a caminhada para casa ficasse mais longa. Até que certo dia decidi tomar uma atitude, não dava mais para continuar com essa situação, e lembrei que quando era pequeno, meu pai sempre falava que os cães têm mais medo de nós, do que nós deles, mas se você tem medo, o cão sente o cheiro do medo e vai atrás de você.

Então decidi que iria mostrar para ele quem é que mandava, e faria com que ele tivesse medo de mim. Naquela noite, antes de chegar perto, segurei um cabo de vassoura na mão, preparado para lançar na direção dele quando viesse me atacar. E, como sempre, já escutando o latido e o vendo correr em minha direção, virei em direção ao cachorro e comecei a correr ao encontro dele. Ele tomou um susto tão grande, que não sabia se corria para me atacar, corria para fugir, ou saía voando. Depois disso, ele nunca mais veio atrás de mim.

Nossos problemas são como esse cachorro, que está atrás de nós, e nós como crianças apavoradas, sempre fugimos ou desviamos, achando que um cão feroz está atrás de nós. Mas, na verdade, o que temos que fazer é parar, virar para direção do cachorro e confrontá-lo. E, de repente, aquele que você imaginava ser um *pitbull* ou *rottweiler*, na verdade era um *poodle*, ou no pior dos casos, um *pinscher* latindo apavorado com medo de você! Quer aumentar seu QM? Confronte seu "cachorro". Quer evoluir seu QM? Confronte seu "cachorro"!

Mais uma história que sempre conto nas palestras é algo que todos nós sabemos, mas que ninguém percebe. Na maioria das vezes, quem treina na academia, corre ou pratica artes marciais, sabe que o crescimento vem depois da dor, e a dor tem que ser confrontada. Todo mundo sabe: *no pain, no gain* (sem dor, não há crescimento). Se isso é uma realidade no mundo físico, por que você quer que seja diferente com o mundo espiritual, emocional e mental? Já que este segundo vai definir como será o seu mundo físico.

Anota aí: qual ou quem é o seu "cachorro"? Muitas vezes parece que são vários, mas os sábios judeus nos ensinam que nós confrontamos um "cachorro" de cada vez, um problema de cada vez. Sim, pode ser que se manifeste de várias formas, mas a fonte, o "cachorro" é o mesmo. Lembre-se: não adianta você fugir, o cachorro corre mais rápido, ele é mais forte e quando o alcança, a mordida dói. A única forma de você evoluir e crescer seu QM é confrontar o seu "cachorro".

Qualidade da Mentalidade – QM em alto nível é saber reconhecer seus problemas, analisar as dificuldades, compreender e entender que você tem tudo para resolvê-los!

Saber que QM de nível superior é colocar essa atitude de entendimento em ação!

E o mais importante: não se aceite como você é ou como se encontra. Entenda que ninguém é perfeito, mas que a solução para alcançar seus objetivos está em suas mãos, e isso independe de como você começa, mas depende de onde vai chegar!

Colocar as atitudes e as mentalidades em ação e transformar a sua realidade, muitas vezes não é favorável para uma nova realidade construtiva e favorável.

A verdade é absoluta, mas a sua realidade é subjetiva. A soma de um mais um terá sempre como resultado o dois. O que quero dizer com isto é: não importa onde e em que situação você nasceu, ou onde e como você cresceu, vive ou está vivendo, e até mesmo em que planeta você está no universo, um fato. Mas, a realidade, ou o que você faz com tal fato, isso sim define o que vai resultar no final.

A sua realidade depende da maneira como você utiliza a Qualidade da Mentalidade – QM. Quanto maior for, será mais fácil atingir uma realidade nova e muito mais favorável. Uma frase para que você reflita:

A luz emana onde existe resistência.

Dor Leon Attar

CAPÍTULO 3:
O triângulo

P or que triângulo? Como se sabe, existem triângulos de várias formas, mas aqui isso não vem ao caso, até porque este não é um livro de geometria, e sim um livro sobre mentalidade e transformação pessoal!

Então, o que tem o triângulo com isso? Simples, o fato é que precisamos de equilíbrio. Como um triângulo equilátero, que apresenta os três lados com a mesma medida, existe a "casa da realização", como mostrarei no capítulo *As ferramentas para a prosperidade*, para alcançar sua melhor forma de ser!

Mas, antes disso, temos que trabalhar nossa mentalidade. Ela tem que estar em equilíbrio para que possamos construir uma realidade e uma forma de ser melhor.

"Você é o que você pensa", já ouviu isso?

"Você está onde seus pensamentos estão", e essa também?

Existem muitas frases nesse formato, para descrever uma ideia que no final quer dizer somente uma coisa:

Você é quem cria sua própria realidade!

Isto está em suas mãos. Espera um pouco, eu disse mãos? Que nada, melhor ainda, tudo está nos seus pensamentos, em suas crenças enraizadas lá no fundo de seu subconsciente.

Na cabalá judaica, o triângulo representa equilíbrio, a linha do meio entre dois extremos, a que serve como base, está ali para equilibrar e dar firmeza.

A prosperidade, na maioria das vezes, bem como por parte das pessoas, está ligada somente, ou principalmente, ao sucesso financeiro. Mas, em muitos casos, o sucesso financeiro ou "ser rico", não significa ser feliz ou ainda estar em equilíbrio nos vários aspectos como: saúde, estado emocional, condição física, segurança financeira e, o mais importante, com o propósito de vida.

A prosperidade está no equilíbrio da combinação de três pilares principais, que apoiados entre si, formam o triângulo:
- Equilíbrio emocional e físico;
- Equilíbrio financeiro – Liberdade financeira;
- Viver o seu propósito na vida.

Vou contar o segredo da prosperidade judaica de uma maneira mais simples e clara, para que possa alcançar e criar uma realidade favorável e próspera.

O segredo está em suas mãos, a sua liberdade financeira, saúde física, emocional e seu propósito de vida. Sim, é isso mesmo, tudo está em suas mãos.

Na bíblia está escrito que quando *D'us* criou o homem, ele falou:

— Façamos o homem em nossa imagem e nossa semelhança.

Os sábios judeus cabalísticos explicam que "façamos" está na forma do plural, porque *D'us* estava conversando com a alma de Adão, e falou para ele:

— Vamos nós dois criarmos o homem. Eu *D'us* crio o cenário para você Adão, e te dou o corpo, mas cabe a você criar e, mais ainda, estou te dando todo o poder de criador.

Em hebraico, os termos "semelhança e imagem" não se referem ao aspecto físico, mas ao aspecto espiritual elevado.

Entenda que somos "cocriadores" da nossa realidade. A forma que seremos, e para quem nos transformarmos, está em nossas mãos!

CAPÍTULO 4:
Primeiro pilar

Saúde física e emocional

"O que você não resolve em sua mente, seu corpo converte em enfermidade."

Eu, como acupunturista, sempre achei que as agulhas ajudavam na cura das doenças que a medicina ocidental falhava em resolver. Imaginem como fiquei abalado quando descobri que mesmo a medicina oriental, e tampouco a ocidental, não têm a capacidade de curar, quando na verdade ambas são especialistas em tratar os sintomas, esperando que o próprio corpo promova a autocura.

"95% dos médicos só atrapalham o processo natural do corpo."

(Palavras de um de meus professores da faculdade, que é médico).

Para entender o que precisa para curar, temos que entender o que é a doença.

A doença é o resultado de um evento emocional repetido em nosso passado, e que não foi confrontado, evento esse que foi enterrado na mente e ignorado.

Quando na verdade é bem diferente, o corpo tenta conversar conosco por meio das doenças e sintomas, para que se resolvam problemas emocionais, que na maioria das vezes nem ligamos ou nos damos conta, eventos esses que nos influenciam, e mais ainda, estão bem enterrados em nosso subconsciente.

E quando resolvemos esses eventos emocionais do passado, parece que como em um passe de mágica ou milagre, o processo de cura começa.

Existem várias técnicas que você pode descobrir sozinho, o evento emocional que era a causa para a sua doença.

Confuso? Deixe-me explicar.

- Anote a idade quando se manifestaram os primeiros sintomas da "tal doença".
- Tente lembrar um evento emocional que aconteceu um ano antes da manifestação dos primeiros sintomas (normalmente eventos emocionais demoram um ano para se manifestar).

Caso não tenha acontecido nada significante, divida essa última idade por dois e tente lembrar eventos emocionais que aconteceram na "tal idade".

Exemplo:
- Com 51 anos se manifesta alguma doença, analise o ano anterior quando tinha 50 anos. Caso não encontre algum evento, divida a última idade por dois e avalie quando tinha 25 anos.
- Caso não encontre nada, divida a última idade por dois e avalie quando tinha 12 ou 13 anos para um evento emocional possível, caso não lembre de nada ou não aconteceu nada, divida novamente quando na idade de seis anos.
- Avalie novamente algum possível evento emocional, caso não encontre o evento ocorrido, divida novamente e siga assim dividindo.

Caso você tenha chegado na idade entre um ou nove anos, em que provavelmente tenha um evento relacionado à saúde, o evento emocional tem relação a um fato que aconteceu nos meses de sua gestação, onde sua mãe passou por um evento emocional que o marcou! Como o feto não está separado de sua mãe, conforme a idade que manifestou o evento de saúde, você vai saber o mês da gestação que a sua mãe passou por um evento emocional que marcou seu subconsciente.

Essa técnica é muito usada por vários terapeutas judeus ao redor do mundo. Vou lhe contar uma história de muitas das experiências que aconteceram comigo.

Uma amiga estava reclamando de vários sintomas que afetavam a qualidade de vida dela, mesmo sendo uma mulher nova feliz, casada e com uma filha linda. Ela veio até a mim reclamando de pneumonia, e dizendo que se repetiam a cada dois ou três meses, secreções no ouvido e fobia de água.

Começamos a analisar por meio da técnica mencionada e descobrimos o seguinte: as pneumonias começaram depois que ela se tornou mãe. Seguimos a análise e chegamos aos três anos de idade, onde ela lembrou que começou a secreção no ouvido. Então pedi que ela fosse conversar com a mãe dela, e que a questionasse sobre o que teria ocorrido no terceiro mês da gestação. Foi incrível o que descobrimos, depois do choque que a mãe mostrou ao revelar para a filha.

A mãe da minha amiga, quando estava no terceiro mês de gestação, lembrou que realmente estava conversando com o marido, e que planejaram fazer um aborto e terminar com a gravidez. Agora entenderam o que aconteceu? O fato é que o feto sabe e sente tudo o que acontece com ele e com a mãe (um detalhe é que o feto não diferencia ele e a mãe, então tudo o que a mãe sente ou experimenta emocionalmente, o feto sente como se fosse com ele mesmo).

Minha amiga ouviu os pais querendo abortar, isso gerou o problema no ouvido e a fobia de água, quando ela estava em um ambiente aquático, quando sentia o medo de morrer. Até então, a fobia que era inexplicável sumiu, e hoje minha amiga está fazendo aulas de natação, e a secreção do ouvido acabou, e o interessante é que as pneumonias não voltaram (importante mencionar que o pulmão é ligado à emoção de mágoa, e quando ela se tornou mãe, o subconsciente se manifestou como pneumonia).

Outra história que mostra o resultado dessa técnica:

O pai de um amigo meu entrou em depressão profunda depois da separação da esposa. Ficou na casa da filha e nem saía da cama, tinha que ser alimentado e precisava de ajuda para tomar banho. Chegou a usar fraldas geriátricas por nem conseguir sair da cama!

Meu amigo me chamou para ajudar o pai dele. Eu sentei na sala, mandei chamá-lo e disse:

— Custe o que custar, ele tem que sair da cama e sentar na mesa comigo! (O bom é que o pai queria melhorar, mas não tinha ferramentas para isso).

Vendo a situação dele, um homem com 69 anos, que era bem de saúde e de vida, transformado em um esqueleto frágil, bem à minha frente, expliquei para ele que a depressão é o resultado da raiva voltada contra si próprio. Ela é desenvolvida por eventos do passado, que geram raiva e que, quando não direcionada contra ninguém, mas contra si mesmo, com o tempo, cria a depressão.

Fizemos o cálculo dos ciclos e vimos que o que ele sente no momento, realmente voltou em ciclos com o mesmo efeito emocional, de raiva contra si mesmo. Pedi para ele tentar focar nessa emoção e rever quando ele recorda a primeira vez que sentiu o mesmo.

Esclareço que, muitas vezes, as pessoas não conseguem lembrar os eventos emocionais do passado. O que temos que fazer (com a gente mesmo) é usar os sentidos para ativar a memória. Pedi para que ele fechasse os olhos e me falasse qual era a cor que aquela raiva tinha e como ela cheirava, se tinha algum som ou voz, e também qual nome se dava a ela (raiva é o nome geral, cada um tem nome específico que ajuda a detectar o evento).

Nós conseguimos ativar uma memória de que quando tinha dez anos de idade, jogando futebol com amigos, sem querer, ele tropeçou na bola, caiu e bateu as costas e ficou uns dez segundos sem respiração. Ele relatou que ninguém veio ajudá-lo, porque ninguém percebeu, então, ele se sentiu impotente e isso gerou raiva já que não tinha a quem culpar. Essa raiva virou contra ele mesmo, por ter esse momento de impotência (que no futuro iria se manifestar fisicamente), depois de trazer o evento principal para o presente, e com algumas técnicas, livrar o passado (como escrito no meu livro *Mentalidade judaica positiva*). Hoje ele voltou a ser um homem saudável e independente.

Um terceiro exemplo é um recente caso que ajudei a tratar. É de um menino de quatro anos de idade, que estava sofrendo de refluxo e vômitos, e vários exames não mostraram nenhum motivo fisiológico. Os médicos apenas remediavam com medicamentos para refluxo. Fui indicado aos pais do garoto, por meio da vovó que é uma aluna minha. Logo perguntei a eles quando apareceram os primeiros sintomas, e descobri que havia começado uns dois meses antes de ele fazer quatro anos (uns três ou quatro meses antes de me chamarem). Para agilizar o atendimento do caso, descobrimos que uns quatro meses antes da mãe engravidar, ela estava com o marido em um sítio passando férias, quando foram vítimas de um assalto seguido de sequestro. Ficaram por algumas horas sendo ameaçados de morte e sendo aterrorizados. Graças a *D'us*, tudo acabou bem, eles fizeram um tratamento psiquiátrico para tratar o trauma.

O incrível era ver como eles estavam revivendo o evento, como se estivesse acontecendo no momento. Isso era o sinal, para mim, que não haviam se libertado (ou como eu falo no livro *Mentalidade judaica positiva*, não aprenderam a lição do evento). Forcei para que eles confrontassem o evento, dei algumas técnicas para liberarem o passado, mas o mais importante, que pedi a eles, foi tentar descobrir qual a lição desse evento, por mais negativo e traumático que fosse. E o que aconteceu em seguida foi incrível! O filho do casal parou de ter refluxo e de vomitar. Mas, quem passou a ter era a mãe, e o pai ficou com enxaquecas (ligada aos rins, o que representa questões de vida e de morte). Era um bom sinal, um evento que não foi lidado ou confrontado na forma correta, e foi enterrado, manifestado na criança. Quando, por fim, resolvemos o evento emocional, aprendendo a lição, os sintomas desapareceram!

Para finalizar esse pilar, vou resumir com a relação dos órgãos e quais emoções os afetam:

Raiva: fígado;
Tristeza e mágoa: pulmão;
Angústia, preocupação: estômago;
Estresse e ansiedade: coração;
Medo e fobia: rins.

Resumindo, toda doença é resultado de um evento emocional negativo do passado que não foi resolvido. Ele vai se manifestar no futuro, fisicamente, para que possa trazer cura verdadeira e uma elevação espiritual para o físico. Conforme o grande sábio judeu, médico e filósofo, Maimônides: uma alma saudável, num corpo saudável, ambos estão conectados e, assim, tem que ser tratados!

Vale lembrar: caso perceba algum sintoma que aparentemente possa se desenvolver em uma possível doença, um médico ou especialista deve ser consultado!

Mas, tenha certeza de que, para curar de forma efetiva, existem três emoções que ativam esse processo: amor, gratidão e alegria.

Amor

Todos conhecem a frase bíblica:

"Amarás o teu próximo como a ti mesmo."
(Levíticos 19:18)

O mundo ocidental se apoia muito sobre este versículo e os derivados dele, mas há um porém, e um porém muito grande. A nossa sociedade se encontra em um momento radical, com muita cobrança e muito estresse. Você está sendo vigiado 24h por dia, no trabalho, na família, escola, faculdade e mais ainda nas redes sociais e no mundo virtual como um todo. Isso leva a maioria das pessoas a não confrontar nosso maior "cachorro". Farei uma pergunta e quero que você seja sincero com você mesmo: como podemos amar o próximo como a nós mesmos, se não nos amamos como devemos?

Vou explicar por que uma das doenças que mais afeta a população no mundo nos dias de hoje é a depressão. A falta de amor próprio! Quer saber se você se ama ou não? Isso não é fácil, mas é simples. Você fica com raiva de si mesmo quando falha? Tem dificuldade para se perdoar quando comete um erro? O que você faz com essa raiva ou frustração contra si mesmo? Já parou para pensar nisso?

Agora faço outra pergunta: se você tem um filho e ele faz uma bagunça enorme, é claro que você vai ficar bravo, é natural que você chame a atenção dele ou ainda o coloque de castigo, mas isso faz parte do processo de educação. Pense, você vai ficar com raiva dele para sempre? Se são seus filhos, isso passa rapidinho, não é verdade? E outra, e se o seu grande amor fizer algo errado, ou algo que o deixe com muita raiva? Bem provável que você não fique menos amoroso ou raivoso, não é verdade? E o seu animal de estimação? Ficaria com raiva para sempre do seu cachorro ou gato? Como pode pensar que ama a todos, se você não se ama pelo menos igual ou ainda mais?

Não estou falando de soberba, mas sim em se amar e se valorizar! Isso significa que tudo pelo que passa faz parte de seu processo de crescimento, mas ficar com raiva ou frustrado consigo mesmo, sem ter como resolver, isso leva a mentalidade para um conflito de impotência e o levará para o quadro de depressão. Ame a si mesmo, para que possa amar o próximo! Ame a si mesmo, assim poderá promover a cura e trazer equilíbrio para sua vida e sua saúde.

Amor em hebraico escreve-se assim: *AHAVA* אהבה. Existem muitas explicações em hebraico sobre esta palavra, mas quero mostrar duas para que você possa entender o que é mesmo o amor.

O valor numérico da palavra *AHAVA* אהבה em hebraico é 13, (1+5+2+5), e o número 13 tem o mesmo valor numérico da palavra "um" אחד, (1+8+4). Vamos começar com amor para "um" pode ser *D'us*, mas também pode ser para você mesmo, porque *AHAVA* em hebraico são duas palavras.

A-HAVA א-הבה significa "o um que dá". Amor sim é uma emoção divina, não há discussão, mas imagina que essa emoção o conecta à fonte do amor e à fonte da cura. Ainda mais quando unimos nosso amor aos outros, AMOR+AMOR (13+13), vale 26 que, por sua vez, é o valor numérico do nome sagrado de *D'us*, o tetragrama!

Quando você ama a si mesmo e consegue amar o próximo de verdade, isso permite a conexão com o Eterno, trazendo a luz divina em sua vida!

Nesse momento, as enfermidades não têm mais existência, deixam de fazer parte da sua realidade!

Gratidão

Você já percebeu que todos, e digo em todos os lugares que visitei e conheci pessoas e culturas, todos, sem exceção, depois que a criança aprende a falar "papai" ou "mamãe", os pais ensinam a criança a falar "obrigado" ou "agradeça", sempre que receber algo. O que sua mãe lhe ensinou? "Filho, agradeça" ou "o que se fala?". Todas essas frases para nos ensinar a agradecer por tudo que recebíamos quando éramos crianças. E, mais ainda, quando não agradecíamos, nossa mãe dizia algo que falamos para nossos filhos: "filho, agradeça. Se não agradecer não vai receber mais", não é verdade? Incrível como fomos educados e educamos nossos filhos, mas infelizmente não agimos assim.

A vida nos oferece tudo de bom e do melhor, e tudo que o criador quer é que nos demos bem! Claro, como pai educador que quer nossa evolução e crescimento. Mas, para que nós possamos crescer, temos que confrontar os problemas, as dificuldades ou melhor, confrontar nosso "cachorro"! Pense comigo, se você já tem mais de 30 anos, já tem algumas experiências de sucessos ou fracassos na vida. Os únicos que não fracassam são aqueles que nunca tentaram fazer algo na vida, mas seja honesto com você mesmo, olhe para trás. Quais são os momentos que você se lembra? Momentos que marcaram seu crescimento? Na faculdade você se lembra mais da época das provas, ou da festa de graduação? No momento da vitória, ela teria algum valor se não tivesse algo para superar?

Alguma meta que era difícil ou parecia impossível, e no final você superou, e alcançou um novo nível de ser, não merece gratidão? Esses momentos de dificuldades e apertos são os que nos fazem crescer. Foi dessa mesma forma quando nascemos e tivemos que passar por uma passagem estreita e apertada, mas o choro veio logo depois (mesmo os médicos dizendo que foi apenas a primeira respiração), e o mais correto, é a nova expansão, nova forma de ser.

Nossa vida é feita de momentos de "aperto", vitórias e novas formas de ser! Até na academia, ou em qualquer atividade física, nós sabemos que temos que passar pela dor para conseguirmos algum tipo de crescimento. E não há como enganar o processo. Ou você confronta o seu "cachorro", ou ficará correndo dele, mas você não irá crescer.

Agora que você sabe o processo que teve de passar para chegar até esse momento, lendo este livro e vivendo esses momentos, graças a todos esses eventos, as suas vitórias são consequências das atitudes tomadas nos "apertos". Sem eles, as dificuldades e os problemas, não haveria crescimento. Agradeça! Agradeça por tudo. Você acordou hoje? Agradeça. Sabe quantas pessoas não vão acordar hoje? No judaísmo, nós agradecemos toda manhã, pois o Eterno devolveu a nossa alma por acreditar em nós! Acreditar que somos capazes para fazer esse dia valer. Se *D'us* acredita em nós, já imaginou? Em que duvidamos?

Na medicina chinesa, a dor é uma coisa positiva, um sinal de vida, se você tem alguma dor no corpo, agradeça! Isso é sinal de vida. E, muitas vezes, o mero agradecimento pela dor, já faz ela melhorar e até sumir.

Agora, será que você me venderia um de seus braços? Ou um olho? Quem sabe uma de suas pernas? Por qual valor você venderia? Não venderia, não é mesmo? E mesmo que vendesse não seria algo tão barato, ou pediria alguns milhões, não é verdade? Você sabia que a riqueza é calculada conforme o patrimônio que alguém tem, e não conforme ele ganha por mês? O Sr. Bill Gates não ganha bilhões por mês, mas ele tem bilhões, então quanto você vale? Agradeça! Você é casado? Sabia que há pessoas solteiras que tudo o que elas querem é achar alguém para viverem juntas? A solidão é um inferno. Você tem alguém para compartilhar a sua vida? Alguém para aguentá-lo? Que aguente suas loucuras? Eu falo por mim, é claro. Agradeça! Você tem filhos? Sabia que há milhares de pessoas ao redor do Brasil, que tudo que querem na vida é ter um filho? E não conseguem ter por "N" motivos. E você? Tem um, dois ou três? Agradeça! Mesmo quando eles o deixarem louco e com vontade de vendê-los. Posso continuar o livro todo mostrando coisas grandes, médias e pequenas, que podemos ser gratos, ou melhor, temos que ser gratos.

Nossos sábios, nos livros sagrados, fazem a pergunta: "quem é rico?", e logo têm a seguinte resposta: "Rico é aquele que está feliz com o que tem". Olha o que você tem, quanto você realmente vale? Tanto para você, sua família, seus amigos e o mais importante de todos: para *D'us,* que o criou?

O Rabino Nachman de Breslav (um dos grandes sábios do povo judeu, que viveu há cerca de 200 anos), disse: "o dia em que você nasceu, é o dia que *D'us* decidiu que o mundo não pode existir mais sem você".

Seja grato pelo que você tem, porque a "gratidão" vai lhe trazer muito mais, mais saúde, mais riqueza, mais felicidade e alegria. Lembre-se do que nossas mães nos ensinavam: "Filho, agradeça. Se não agradecer, não vai receber mais".

Alegria

Muitas vezes confunde-se alegria com felicidade. Felicidade é a emoção que está dependente de eventos felizes, derivando assim da felicidade. Já a alegria é um estado de mentalidade. Se você tem QM – Qualidade da Mentalidade evoluída, você determina o seu estado de mentalidade. A alegria é a chave principal de uma "QM" elevada!

Eu pessoalmente não entendo como as pessoas não conseguem estar sempre alegres, não consigo entender essas pessoas que ficam mal-humoradas o dia todo e, ao mesmo tempo, não fazem nada para mudar.

Sobre a alegria, hoje a medicina também afirma que é um ingrediente importante no processo de cura, especialmente em doenças crônicas e em alguns casos terminais.

Pode parecer um pouco de arrogância, ou alguma forma de insensibilidade para com os outros, mas totalmente ao contrário, ninguém gosta de ficar ao lado de pessoas mal-humoradas e negativas, ninguém gosta de sentir essa energia que sai delas. Mas todos gostam de estar com pessoas positivas e alegres, que os fazem rir e se sentir melhor quando se despedem do que quando chegaram. Por que você não pode ser como uma dessas pessoas? Por que não ser aquela pessoa que todos querem por perto, só por se sentirem bem? E o que você faz para que elas se sintam melhor e mais alegres?

No judaísmo nós temos uma regra muito importante e crítica para nossas vidas. Um grande mandamento, uma ordem divina: estar sempre em alegria!

Essa regra ou dogma, como queiram,

é derivada de um versículo que se encontra em Deuteronômio 28, em que o povo judeu no deserto está sendo advertido por Moisés, por transgredir os mandamentos e as ordens divinas. Esse versículo escapa aos olhos de muitos, até mesmo de judeus. Moisés avisa que as desgraças que o povo irá sofrer não serão por transgredirem a vontade divina ou por serem perversos, mas sim por não estarem em alegria e gratos.

"Porquanto não serviste ao Senhor Teu *D'us* com alegria e bondade de coração, pela abundância de tudo."
(Deuteronômio 28:47)

Se você prestar atenção na frase que coloquei anteriormente, um grande mandamento, uma ordem divina, estar sempre em Alegria. Gramaticalmente não faz muito sentido, tanto em português, como em hebraico, eu devo "ser alegre", mas como posso "estar em alegria?" e ainda mais, "sempre"?

Nossos sábios ensinam que a referência de "estar em" refere-se ao seu estado mental.

"Estar sempre em estado de alegria", isso só é possível quando aprendemos a controlar nossa mentalidade e nossos pensamentos. O poder maior que cria realidade é quando você tem a capacidade de pensar ou mentalizar, o certo mesmo é quando a situação atual causa emoções erradas. Exemplo:

Há uma história famosa que escutei do Rabino Shalom Arush – Grande rabino em Israel e conhecido mundialmente. Quando estavam no meio dos estudos na *Yeshiva* – casa de estudos, um dos alunos correu para a sala e avisou um dos outros alunos que o carro dele tinha acabado de ser roubado. O rabino conta que o aluno que estava dependendo do carro para seu trabalho de autônomo, e mais ainda, não tinha seguro, começou a dançar e cantar:

— Eu não entendo nada, mas tudo o que *D'us* faz Ele faz para o bem!

E assim repetiu várias vezes, mesmo aflito criou fisicamente uma realidade diferente. Vendo isso, os colegas ficaram abismados, impressionados e se juntaram. Fizeram uma vaquinha e, na mesma noite, compraram um carro novo para o amigo e colega de estudos. O Rabino Arush explicou que o propósito era ele receber um novo carro, mas para isso, ele tinha que perder o carro velho. Como ele lidou com o evento, definiu a velocidade que se revelou o motivo. Como ele mesmo estava cantando, "não entendo nada, só sei que tudo que *D'us* faz, Ele faz para o bem". E ainda mais, em hebraico, as palavras "em alegria" בשמחה, são as mesmas letras das palavras "em pensamento" בשמחה. O estado mental que você se encontra é que vai definir como será sua realidade.

Não é algo fácil, mas, sim, é simples. Requer treinamento e prática até criar uma realidade favorável. Isso vai iniciar o processo de cura.

Agora gostaria de lhe dar um presente e contar para você um segredo mais forte, capaz de trazer a cura verdadeira de nossas enfermidades, isso se chama "perdão".

Perdão

Muitas vezes, se não sempre, nós guardamos rancor e raiva, mesmo não cientes. Para o nosso passado, quando muitas vezes o motivo da raiva e rancor já morreu ou faleceu, "se foi uma pessoa que nos magoou", e nós ficamos com esse sentimento venenoso que nos mata por dentro cada dia mais. Observe que a maioria das doenças terminais, como no caso do câncer e de vários outros tumores malignos, é causada por rancor e raiva interna. Em hebraico, o nome da doença "câncer" significa rancoroso e raivoso סר-טן. E o mais incrível é que em hebraico a palavra "doença" מחלה é uma letra a menos da palavra "perdão" מחילה. Como a letra extra e menor do alfabeto hebraico, o "YUD" י, que também é a letra mais ligada com a divindade na cabalá – conhecimento esotérico judaico, em que o perdão é uma qualidade divina, requer tão pouco esforço físico e, ao mesmo tempo, é tão difícil.

Existem vários exercícios para levar a pessoa a perdoar o passado dela, cada caso é um caso, mas, com certeza, o processo mais importante no processo de cura é perdoar. Perdoe as pessoas que o magoaram ou fizeram mal a você, perdoe o passado que muitas vezes parece um passado cruel, mas o mais importante: perdoe a si mesmo!

CAPÍTULO 5:
Segundo pilar

Equilíbrio financeiro
Liberdade financeira

Todos nós...ops, me empolguei! Nem todos, é claro, mas boa parte e, por que não dizer, a maioria de todas as pessoas, quer ficar rica! Mas, será que sabe o que significa ser rico? Ou, ainda, sabe como ficar rico? Será que a riqueza é somente ter dinheiro, ou há algo a mais que diferencia os que são ricos dos demais?

Vou colocar alguns termos novos para muitos e afirmando a outros: se você vive endividado, com saldo negativo, a chance de ficar rico é praticamente zero.

O segredo da prosperidade judaica

O segredo da prosperidade judaica não é somente a quantidade de dinheiro que você tem ou acumula, mas como vive e o que faz com os bens que você acumula.

Deixe-me explicar: se você depende do seu trabalho para ganhar dinheiro— Não importa o quanto vai ganhar, você está sendo escravizado pelo seu dinheiro. Veja, ganhando por hora trabalhada, assalariado ou contratado, autônomo ou profissional liberal, ninguém pode garantir a você que, trabalhando muito, vai ganhar muito! Um diploma que você recebeu na formatura da faculdade, no mundo verdadeiro, não vai pagar suas contas.

O que fará você ganhar muito dinheiro é o valor que você vai agregar para o mercado e para o público!

Mas, isso ainda não garante a sua liberdade financeira. Está complicado? Aguarde.

Liberdade como liberdade, você está livre! Seus ganhos não dependem do seu tempo, mas o seu dinheiro trabalha para você e multiplica sem depender do seu esforço completo (requer esforço, sim, mas, com certeza, não como trabalhar 40 anos, 40 horas por semana e depois ganhar 40% do salário como aposentadoria).

Vou explicar a ideia em uma história.

Temos duas pessoas, uma é a dona Maria, empregada doméstica que ganha R$ 1.500 por mês, e temos o senhor João, que é um diretor de multinacional com um salário de R$ 35 mil por mês.

A dona Maria mora na periferia da cidade, e depois de todas as despesas pagas, ela consegue economizar a quantia de R$ 100 por mês. Do outro lado, o nosso amigo executivo de multinacional, senhor João, ele não mora, ele reside em um bairro nobre. Viaja, tem carro importado, utiliza dois a três cartões de crédito e, no final do mês, ele tem despesas no valor de R$ 40 mil por mês.

O segredo da prosperidade judaica

Agora vou lhe fazer a pergunta: quem é mais próspero? Quem é mais rico? O senhor João, que depois de um ano está com R$ 60 mil negativos? Ou a dona Maria, que tem R$ 1.200 guardados?

Vamos entender que o quanto você ganha é bem diferente do que você faz com seu dinheiro. Você tem duas opções: a de ser acomodado, procurar o conforto e, para isso, abrir mão da sua liberdade, ou viver um desconforto por algum tempo, no caminho para construir sua liberdade!

Vou dizer logo: a sua liberdade financeira é quando seus "ganhos independentes" pagam o seu padrão de vida!

"Ganhos independentes" – ganhos que são independentes do seu esforço e do seu tempo, tal como: *royalties*, aluguéis, investimentos, etc.

No momento da partida, caso você esteja endividado, tem que quitar as dívidas. Imagine que as dívidas são correntes que o amarram e impedem de avançar para o sucesso. Lembre-se de que o povo judeu, não só pelo próprio esforço, tem prosperidade por ter a mentalidade e o caráter correto.

Para quitar as dívidas, temos que conhecer as regras do jogo financeiro. Para isso, recomendo procurar um mentor na área financeira, que poderá orientá-lo pessoalmente. De modo geral, abaixe o padrão de vida para o nível que está mais adequado ao seu salário e negocie suas dívidas! (Isso é uma prática simples e até chega a ser divertida quando você a conhece). Em seguida, você estará livre de suas dívidas – isso é possível dentro de um ano! Caso duvide, fale comigo que lhe ensino as regras do jogo. Não procure aumentar seu padrão de vida, assim você voltaria a afundar-se novamente em dívidas.

Lembre-se: se o seu objetivo é a liberdade financeira, comece a procurar aumentar seus "ganhos independentes", antes de aumentar o seu padrão de vida! Quer aumentar seu padrão de vida? Isso é simples! Aumente seus "ganhos independentes". Deixe seus ganhos independentes pagar os bens que você quer adquirir.

Se você está pagando dívidas do cartão ou do cheque especial, já chegou a renegociar as parcelas? Tenho uma notícia para você, que seu gerente não vai lhe contar: provavelmente você nunca vai conseguir quitar a dívida, o interesse do banco é que continue pagando, este é o seu objetivo.

Como empenhou a sua palavra, é continuar pagando, achando que a pior coisa na vida é ficar devendo e não pagar (é o que vão dizer), ou pior ainda, só pagando o mínimo do boleto com os juros e, no mês que vem, irá perceber que jogou seu dinheiro no lixo. **Agora, pare de pagar!** Sim, isso mesmo, pare de pagar, mas não é só isso. As parcelas que você iria pagar, vamos supor que são de R$ 400 por mês. Guarde em uma caixinha ou em outra conta que não tenha vínculo com cartão de crédito, nem cheque especial, e aguarde por seis meses. Passados esses seis meses, o banco vai lhe ligar e começará o processo de cobrança da dívida. Nesse momento, você já terá R$ 2.400 que acumularam e você pode dar esta proposta para o banco:

— Tenho R$ 2.400, vocês aceitam para quitar a dívida?

Se o banco aceitar, ótimo, se não aceitar, segure, pois em até um ano eles vão tentar negociar. Depois de um ano, você já terá acumulado R$4.800, então, faça a mesma proposta para o banco, 95% dos bancos aceitam e quitam a dívida. Se você tem várias dívidas, em outros estabelecimentos, você pode negociar direto no SERASA. Lá eles negociam todas as dívidas juntas, mas é só uma opção.

O segundo passo, neste momento, é: não, não liberar o cartão de crédito nem o cheque especial. Mas, sim, continuar com o mesmo padrão de vida e guardar o mesmo valor que você já tem o costume de guardar todo mês, mas, dessa vez, ao invés de pagar a dívida, será para construir a sua liberdade financeira.

Depois de um ano, ou até menos, quando você já tiver acumulado cerca de R$ 5 mil, já poderá dar entrada em um apartamento ou investimentos de pequena escala. Se é um apartamento que servirá como fonte de renda sendo alugado, é bom você utilizar os serviços de profissionais da área! O mesmo serve para qualquer área que você não tenha suficiente conhecimento, mas quer aplicar seu dinheiro.

Mas, há um segredo que ainda não contei, que vai surpreendê-lo e fazê-lo entender que se trata de algo que é altamente importante na prosperidade judaica. Se você nunca, ou só de uma forma superficial ouviu, agora explico com toda propriedade e de forma definitiva o segredo da *TSEDAKA*. Primeiro, quero deixar claro que esta palavra de origem hebraica é traduzida e entendida de forma errada, como "caridade". A palavra *TSEDAKA* é derivada da palavra *tsedek*, que no hebraico significa "justiça". Mais um detalhe, em hebraico, *TSEDAKA* está escrita com uma letra a mais, que representa o nome sagrado de *D'us*. Assim, lemos corretamente *TSEDAKA* צדקה como justiça divina.

Isso não deve ser confundido, significando somente o dízimo, ter que dar ofertas para igrejas, congregações, comunidades religiosas, sinagogas ou qualquer coisa desse tipo. Mas, ter o entendimento de que estamos aqui no mundo para fazer o trabalho divino. O que isso quer dizer? Simples! Iluminar o mundo, trazer luz por meio de boas ações.

Um ingrediente importante no processo de alcançar a liberdade financeira é o entendimento de que o dinheiro é apenas uma ferramenta. Uma ferramenta potente sim, mas apenas uma para fazer o mundo mais justo. Entenda que o segredo da prosperidade judaica não tem nada a ver com ideologias políticas, socialismo, capitalismo ou liberalismo, está além da formatação de conceitos e de teorias econômicas de mercado. A prosperidade judaica tem ligação direta e estreita com o Divino!

Entenda que você pode, e deve ter tudo de bom e do melhor na vida, mas também ter obrigação. Isso é até uma forma de agradecer por tudo de bom e do melhor que se recebe, fazendo o mínimo para os menos afortunados!

Os sábios judeus fazem a pergunta: quem se beneficia do ato da *TSEDAKA*? O doador ou o pobre que recebe? A conclusão é que o doador é quem se beneficia do ato da doação, mais do que o recebedor. Duvida? Quer uma prova? Então sugiro que faça a experiência, teste, aja, coloque em prática. Comece fazendo pequenos atos de bondade, de caridade e de justiça. Você pode contribuir com 10% ou no máximo 20% de seus ganhos para ajudar um pobre ou uma família necessitada, ou ainda converter esse valor em gêneros de primeira necessidade – comida, roupas, medicamentos, material de construção etc. Mas, a melhor forma de *TSEDAKA* é dar emprego ou serviço para um necessitado, assim oferecendo a oportunidade de não mais depender dos outros. Como diz o ditado: melhor ensinar um pobre pescar, do que somente lhe dar o peixe.

O segredo da liberdade financeira bem como da prosperidade judaica, está na QM, ou seja, na Qualidade da Mentalidade! Uma pessoa com a mentalidade próspera vai criar uma realidade próspera. Por outro lado, uma pessoa com mentalidade infeliz vai criar uma realidade infeliz. Adquira e faça uso de ferramentas corretas para criar uma mentalidade de prosperidade e isso fará criar uma realidade próspera!

Agora vem a melhor parte, depois de aprender como quitar suas dívidas na parte um, e entender a importância da *TSEDAKA* na parte dois, a parte três de como alcançar a sua liberdade financeira vai lhe dar uma chacoalhada, um estímulo ou o famoso empurrãozinho. Está na hora de começar a procurar aprender e empreender! E a dica que dou para todos é: sempre faça pesquisas, estude e questione. Sempre existe uma oportunidade quando você está aberto a ela! Mas não se isole, não pense ou acredite que é capaz de fazer tudo sozinho.

Um dos maiores segredos da prosperidade judaica é que nunca se faz negócios ou empreendimentos estando só. Sempre busque por parcerias, procure pessoas com um nível, capacidade ou competência acima, para se juntar em um objetivo ou um negócio em comum, ou ainda para alcançar a liberdade financeira juntos como uma equipe!

Neste pilar, e justamente neste, vou falar de três letras, isso mesmo, três. Juntas, elas têm o poder de acabar com a sua prosperidade, sua liberdade e até com a sua vida. Acredite! São três letras somente, mas que representam tudo que há de ruim e de pior no ser humano, que é o "EGO". Isso mesmo, o tamanho de seu EGO vai definir o quanto você está mais próximo ou mais distante da sua prosperidade. A equação é muito simples:

Quanto maior for o seu "EGO", mais distante você estará da prosperidade!

Mas, não se deixe enganar, EGO não é somente se achar superior aos outros, como se diz: "o rei da cocada", "o que faz e acontece", ou melhor, "o cara". Mas se fazer de vítima, de coitadinho ou injustiçado, não é melhor ou pior que o arrogante. Na verdade, ambos têm o EGO bem elevado. Perceba que no caso de uma pessoa arrogante, o EGO é evidente, mas no caso de quem se passa por um "coitadinho", isso, na verdade, é uma armadilha, pois a pessoa se acha tão importante, que alguém pode magoá-la ou fazer algo contra ela.

O segredo da prosperidade judaica

No meio judaico há uma história muito conhecida, que conta o seguinte:

Uma vez, um dos frequentadores da sinagoga chegou para o rabino e se queixou no ouvido dele, dizendo:

— Todos na sinagoga falam mal de você, o desrespeitam e o maltratam.

O rabino respondeu:

— E, por acaso, o senhor é um tapete, que está espalhado na sinagoga para que todos o pisem?

A questão é: como fazer para abaixar o "EGO"? Existe uma forma de combatê-lo? A resposta é sim, e apenas uma, o uso da "gratidão". Sendo grato por tudo o que você tem na vida, e também para o que ainda não tem, mas que está lutando para obter! A gratidão é o segredo maior de uma vida próspera, então, seja sempre grato!

CAPÍTULO 6:
Terceiro pilar

Propósito de vida

Certamente, como muitas outras pessoas, você já deve ter visto ou ouvido essas palestras motivacionais que promovem a ideia de que é preciso trabalhar com o que você gosta, ou procurar por aquilo que você tem verdadeira paixão e trabalhar com isso. Assim, fazendo o que você gosta e ama, o dinheiro vai chegar.

Agora vou lhe perguntar: quantas pessoas você conhece que ficaram ricas ou mesmo felizes em trabalhar com o que gostam? Vamos ser sinceros, são tão poucas, que dá para contar em uma mão. A maioria de nós, se não todos, não gosta de trabalhar, não é? Quantas vezes você viu a pessoa transformar o seu *hobby* em profissão, e isso virar um fracasso?

Claro que estou generalizando, mas quero lhe mostrar o ponto de partida e simplificar o caminho. E, no exercício seguinte, vou lhe mostrar como descobrir seu propósito de vida. A questão é que a maioria não vai gostar, e muito menos se apaixonar com o que você vai descobrir, mas o segredo é não fazer o que você gosta ou que lhe faz bem de forma monetária, mas, sim, aprender a gostar do que você está fazendo, para que possa cumprir seu propósito. Apaixone-se com a sua missão e com o trabalho que você terá que ter para alcançar aquilo que você tanto deseja!

Nas palestras que ministro ao redor do Brasil, sempre promovo e incentivo que as pessoas busquem agir no sentido de cumprirem a missão que lhes foi dada, para viverem o seu propósito de vida, e muitas pessoas me perguntam:

— Mas Dor, como posso saber qual é a missão ou meu propósito?

Na verdade, e por que não dizer, que a maior e mais importante pergunta que alguém pode fazer na vida é: por que estou aqui? Por qual motivo vim para este mundo? Qual objetivo de acordar toda manhã? Para que sair da cama? Será que é para isso que nasci? Será que é só isso que se tem? Todas essas perguntas são na verdade, uma só pergunta:

Qual o meu propósito de vida?

Será que nasci para viver a vida toda só pagando as contas? Ou esperando pela aposentadoria? Será que meu propósito de vida é ser pai, mãe, ou quem sabe, ser um empresário e ganhar uma fortuna? Pode ser também que seja virar um monge e viver isolado em um monastério nos picos do Himalaia!

Nos treinamentos e eventos que promovo sobre transformação, utilizo uma técnica que ajuda no despertar do fundo das mais profundas e abissais regiões do subconsciente, onde se encontra uma centelha de luz brilhante, que lá foi colocada desde o nascimento, e que na maioria dos casos está esquecida, mas nunca se apaga.

Essa centelha a que me refiro é a missão que foi dada pelo criador infinito do universo, isso mesmo, a missão que Ele deu para você. Antes de começar, vou lhe dar uma dica que um dos maiores mestres do povo judeu no século XX, o Rebe Menachem Mendel Schneorson Shli"ta, deu em um de seus discursos:

— Se você esperar até encontrar o sentido da vida, haverá vida suficiente para viver de forma significativa?

Não espere as coisas acontecerem, as faça acontecer.

Segure firme e se prepare para fazer um mergulho profundo nas regiões mais distantes e inexploradas da sua mentalidade. Você vai descobrir algo espetacular!

Para começar esse mergulho são necessários alguns equipamentos e ferramentas básicas. Uma mesa, cadeira, caneta e papel, e prepare-se. Agora você vai viajar!

Aproveite e coloque uma música, aquela que o inspira, faz bem e o deixa feliz! Lembre-se de que a realidade é criada pela emoção e pensamento –MPJ, mentalidade judaica positiva.

Agora eu quero que você mentalize cinco anos atrás. Você se lembra? Passou rápido, não é mesmo? E os últimos dez anos? Muito rápido! Certo, agora se for o caso, lembre-se de quando seus filhos nasceram. Hoje já estão grandes ou adultos? Lembre-se de sua infância. Parece que foi ontem, não é mesmo?

Entenda uma coisa, os próximos cinco, dez e vinte anos irão passar com a mesma velocidade, ou quem sabe até mais rápido.

Caneta e papel na mão. Anote um título, a data de hoje, mas só que daqui a cinco anos, entendeu?

Exemplo: hoje é 01/01/2019, então anote 01/01/2024 e comece a anotar tudo que você quer alcançar nos próximos cinco anos. Faça uma lista com os mais variados itens, tais como: vida financeira, saúde, relacionamento, religião, viagens, conquistas de tudo que você quiser. Deixe sua imaginação voar, lembre-se de que você só está limitado conforme sua QM – qualidade da mentalidade.

Escreva tudo o que você puder imaginar que deseja alcançar no prazo de cinco anos. Não pense se o que está na lista é possível ou não, apenas escreva!

Terminou? Agora leia e mentalize isso tudo que você acabou de escrever, para daqui cinco anos e lembre-se: para que se realize, temos que envolver emoção positiva construtiva, então agradeça a realização de seus objetivos e de suas conquistas!

No próximo título escreva a data de hoje para daqui dez anos.

Repita o procedimento, mas agora viaje mais na sua imaginação. Queira mais, mentalize mais, sinta e se inspire com as metas e sonhos. Veja mesmo como você estará daqui dez anos, com tudo o que você conquistou!

Ótimo, agora leia novamente e repita o processo anterior, e o mais importante: agradeça e alegre-se de suas conquistas, como se já tivesse conquistado hoje, quando na verdade, seria apenas para daqui dez anos.

No próximo título, a data de hoje será para daqui 20 anos. Escreva o que você mais deseja alcançar e conquistar, não há limites!

Você já é mais maduro e já passou por muitas fases, parece que passou rápido, não é? Isso mesmo, vinte anos passam como um sonho, então coloque tudo que você quer fazer e conquistar. Não deixe nada para trás e agradeça por chegar até aqui com sucesso e felicidade!

No próximo título, a data de hoje para daqui cinquenta anos. Escreva sobre a família, saúde, conquistas, bens e metas que alcançou, os projetos que fez e o que mais queira fazer! Lembre-se, somos seres infinitos, com experiências físicas.

Interessante, não é? Como a nossa cabeça e imaginação começam a ver as coisas, conforme tiramos as resistências e a poeira dos nossos sonhos. Sinta-se como se você estivesse lá, o agradecimento e a alegria estão cada vez mais reais e palpáveis!

O próximo título, a data de hoje para daqui 100 anos. Pode-se imaginar que a maioria das pessoas não estará presente fisicamente. Então escreva: o que você deixou para sua família e seus netos, bisnetos? O que eles vão falar sobre você? Como o mundo vai lembrar de você? O que você deixou para que o mundo seja melhor depois que partiu? Anote o que para você é importante, para quando não estiver mais presente fisicamente.

Chegou até aqui? Não fique atormentado com os pensamentos negativos que falam para você, que não consegue pensar. Olhe para tudo o que você conquistou, tudo o que você construiu nesses 100 anos. Agradeça o que você deixou para seus descendentes e para o mundo. Alegre-se com a herança moral que você deixou!

Chegou o último título, a data de hoje para daqui 200 anos. Com certeza, com a ciência de hoje, não estaremos mais aqui.

Mas, escreva no papel em letra bem grande, escreva mesmo:

Qual legado você deixou para o mundo?

Há quem concorde que ninguém levará os bens materiais para o túmulo, e que ninguém irá para o "mundo vindouro" pilotando uma Ferrari – não importa o modelo ou ano dessa maravilha automobilística. Concorde que o importante é o caráter, a moral, as boas ações e o valor de uma pessoa. Então, como se explica o fato de as pessoas focarem nas conquistas materiais, mais do que qualquer outra coisa?

No final, o que você deixou para a história? Como você vai ser lembrado depois de 200 anos? O que vão falar sobre você? Da pessoa que você era? Qual benefício você trouxe ao mundo? Como você fez desse um mundo melhor?

Não desanime! Vou lhe contar uma história sobre um grande sábio judeu que viveu há uns 200 anos. Era um grande sábio justo, cujo nome era Rabino Zusha de Anipoli. À beira da morte, bem antes de seu falecimento, seus alunos o viram chorando como criança e perguntaram:

— O que houve?

Ele respondeu, com sua sabedoria genuína, que não saberia o que iria acontecer a ele quando chegasse perante o tribunal celestial. Os alunos ficaram abismados, já que seu mestre, o grande sábio não sabia o que iria acontecer. O que aconteceria com eles? Ele os acalmou e explicou:

— Quando eu chegar ao tribunal celestial, não vão me perguntar por que eu não era igual a Moisés, ou por que não era igual ao rei Davi. Ninguém vai me perguntar por que não era igual ao meu grande mestre, o Baal Shem Tov – o fundador do movimento chassídico, mas vão me perguntar:

— Rebi Zusha, por que você não foi Rebi Zusha?

E essa pergunta vão fazer para vocês:

— Por que vocês não eram vocês? O melhor que vocês tinham que ser? Por que vocês não cumpriram a missão? Por que vocês não fizeram o que tinham que fazer neste mundo?

Seu legado é o seu propósito!

Comece a viver o seu legado. Se você mesmo escreveu que somente isso é o que vai ficar para as gerações, então por que não começar agora? Por que ter que esperar morrer para que seu legado se realize? Não espere morrer para começar a viver. Viva o seu legado!

Isso é o propósito de vida, ter que viajar para o futuro, além dos próprios limites mentais e subconscientes, para descobrir e despertar a centelha, a sua missão dada pelo criador para fazer este mundo melhor. Sim, não pense que você veio para este mundo somente para cuidar do seu nariz e do seu quadrado. Você veio aqui para fazer este mundo melhor! Se você for olhar o seu legado, ele está ligado a algo que fez este mundo melhor, trouxe luz para esta vida. Uma missão única e particular que só você recebeu, e que somente você tem a capacidade de cumprir. Ninguém mais no mundo tem uma mesma missão, ninguém irá cumprir a sua, já que é "o seu legado, o seu propósito". Em outras palavras, onde você vive a sua missão, vivendo o seu legado, você não está apenas cumprindo uma missão, você começa a viver, você está vivo!

CAPÍTULO 7:
As ferramentas para o sucesso

O sucesso em todos os campos da vida, como a área financeira, relacionamentos, e até mesmo para ter uma saúde equilibrada, depende das condições mentais que você dispõe em relação àquele setor em que procura obter êxito. Vale ressaltar, logo de início, que bolso cheio ou não, conta bancária milionária ou no vermelho, rico ou pobre, feliz ou depressivo, amado ou odiado, todos são sentimentos que estão ligados às condições mentais, ou seja, tudo depende da forma que se pensa, conduz seus pensamentos e analisa a realidade.

A realidade pode ser sua criação ou pode tornar você escravo dela.

Como é possível criar uma realidade favorável para o sucesso? Como é possível mudar conceitos ou mesmo reavaliá-los, a fim de descobrir se são instrumentos para o crescimento ou se são armas destrutivas que prejudicam você mesmo?

Com ferramentas inovadoras e simples, você poderá alcançar uma nova mentalidade e criar a realidade favorável tão desejada.

Ao explicar sobre essas ferramentas, seguindo a leitura ponto a ponto, saberá como aplicá-las diariamente em sua vida.

Com dez pontos principais, usando como referência à interpretação dos "dez mandamentos", essas orientações aplicadas na atualidade podem ser praticadas em qualquer país, independentemente da religião ou etnia.

Aqui são apresentadas "dez ferramentas" para uma vida de excelência e sucesso, com as quais você poderá criar uma realidade favorável, desenvolver e aumentar seu potencial que já possui e a capacidade de ser cada vez melhor. Ou seja, há em você mesmo uma ótima "semente", basta agora deixá-la brotar e se desenvolver!

Alvo do conhecimento

Todas as pessoas possuem em seu cérebro o conhecimento consciente e subconsciente que está armazenado. Algumas desenvolvem mais sua capacidade de reflexão em cima deste material, outras nem tanto, e isso é realmente uma pena!

Para que se possa sempre desenvolver e aumentar o conhecimento, se faz necessário aceitar que há coisas que temos que aprender e estudar, porém, só podemos buscar informações novas se tivermos parâmetros de diferenciação de acordo com o seguinte:

- Aquilo que sabemos;
- Aquilo que não sabemos e temos consciência disso;
- Aquilo que não sabemos e não temos consciência que ignoramos.

Isso quer dizer que, para aprender mais,

precisamos deixar de ignorar este último requisito da área do conhecimento. Para tornar esta explicação mais simplificada, segue a ilustração abaixo no formato de alvo.

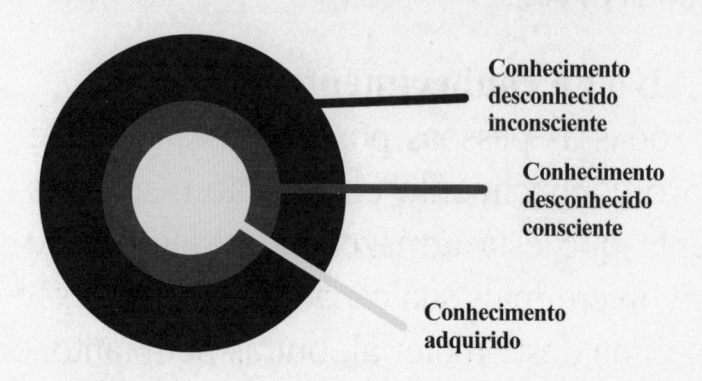

Conhecimento desconhecido inconsciente

Conhecimento desconhecido consciente

Conhecimento adquirido

Este alvo se divide em três partes a saber:

Círculo menor (central): a primeira parte é a menor e representa todo o conhecimento adquirido e consciente. Tudo que estudamos ou aprendemos ao longo da nossa vida, é possível notar que comparada às outras áreas, o grau de conhecimento acumulado é muito baixo.

Círculo intermediário: a segunda parte representa tudo que temos consciência que não sabemos, as coisas que são possíveis ter ciência da existência no mundo, mas não as estudamos e, portanto, não temos conhecimento sobre estas.

Círculo maior (preto): a terceira parte é a maior e representa o desconhecido, as coisas que nem sabemos que ignoramos e nem conhecemos. Essa área bem maior nos permite ter a real noção de quão grande é a quantidade de conhecimento que nos falta desenvolver, e que não temos a mínima noção de que existe. Em outras palavras, nosso conhecimento adquirido e consolidado representa um percentual muito baixo da realidade.

Nosso trabalho, missão e foco precisam estar voltados para a ampliação da parte vermelha do alvo, ou seja, descobrir áreas novas de conhecimento ignorado de forma consciente e depois estudar e aprender, para torná-la em conhecimento adquirido. Apenas dessa maneira conseguiremos avançar e elevar nossa mentalidade e grau de conhecimento.

Porém, a dura realidade é que quanto mais desenvolvemos o conhecimento adquirido, maiores serão as outras áreas também. Por isso, o aprendizado deve ser contínuo, pois suas fontes de conhecimento são infinitas em possibilidades.

Contudo, não devemos ter medo ou receio de explorar o desconhecido, principalmente aquilo que está armazenado na área do subconsciente da mente.

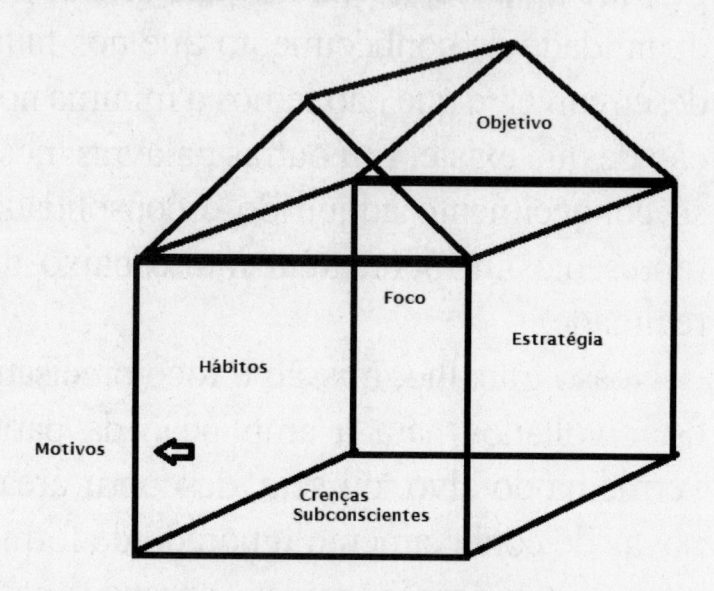

[Diagrama: "A casa da realização" — uma casa com os rótulos Objetivo (telhado), Foco, Estratégia, Hábitos, Motivos, Crenças Subconscientes]

A casa da realização

A maioria do mundo empresarial, que visa motivar seus funcionários em palestras ou palestrantes motivacionais, se utiliza do ícone da pirâmide para explicar funções de objetivos e metas a alcançar. Porém, por meio de estudos, criamos outro ícone representativo que certamente irá revolucionar tudo o que foi apresentado até hoje sobre como funciona a mentalidade, a realidade e até mesmo a sistematização da vida!

Objetivo

O teto da casa, a parte final da construção, também é a meta final a atingir, por isso é simbolizado como o topo. Definir os objetivos a uma parte imprescindível neste esquema, devido a isso, é o primeiro passo do processo. Dicas importantíssimas para uma definição certa de objetivos:

- Estipular o que você quer conquistar, ao invés daquilo que necessita evitar;
- Estabelecer prazos ao cumprimento de metas, para se ter a noção do período de sua realização.

Foco

A primeira parede das quatro a serem erguidas no esquema da casa. É necessário se manter ligado e atento na conquista dos objetivos e metas estabelecidos, sem permitir que haja estagnação ou distração com situações desnecessárias.

Estratégia

A segunda parede da casa se refere ao plano de ação ou tática aplicada para se atingir um resultado. Quando a meta está estabelecida, é necessário criar mecanismos que sejam um bom método de trabalho. Para se definir uma estratégia funcional é preciso encontrar a resposta para a seguinte pergunta: como cumprir ou atingir a meta na qual está o foco?

Hábitos

A terceira parede no esquema da casa. Quando há a certeza da meta e a estratégia, é preciso agir e pode ser necessário ter atitudes diferenciadas das anteriores para se obter progressos e resultados melhores. Ou seja, é necessário reavaliar os hábitos, estes podem ser criados por bem ou por mal. Quanto mais for repetida uma ação, esta ficará mais incutida na mente, até virar parte integrante da mesma. O exercício constante de uma ação é que cria o hábito. Para cumprir certos planos de ação, que muitas vezes podem ser entendidos como repetitivos e monótonos, é preciso ter o hábito em forma de esforço para dar continuidade às ações de médio prazo, quer dizer, de 30, 60 a 90 dias, no mínimo.

Motivos

A quarta parede do esquema corresponde à explicação do porquê de uma meta ou objetivo. É fácil chegar ao consenso de que sem o combustível motivador será muito difícil, até impossível cumprir ou atingir a meta, mesmo com foco e com a melhor estratégia ou plano de ação. É imprescindível que exista algo que esteja claro e fortemente marcado na mente como necessário ou desejado, aquilo que empurra e inquieta para a ação. Sem entender os motivos que respondem o porquê se quer chegar a determinado objetivo, várias situações podem surgir para distrair do foco, atrapalhar o plano de ação e prejudicar os hábitos.

A sexta parte da casa, que em seu esquema de formação já dispõe do teto e quatro paredes, é composta pela fundação ou alicerce, que é parte estrutural e fundamental deste processo: em toda construção, grande ou pequena é extremamente necessário que haja uma base sólida de apoio, muito bem arraigada em uma analogia. A fundação é na mentalidade equivalente às crenças subconscientes, que são as crenças que definem a realidade e que controlam mais de 95% da percepção da vida. O subconsciente é a parte desconhecida ou ignorada voluntariamente, porém, que define e orienta sem que se tenha nenhuma noção a este respeito, são aspectos mentais que, na maioria das vezes, servem como guias e dificilmente são questionados.

O que é "crença subconsciente"?

Imagine uma pessoa que cresça em uma família de classe média baixa, na qual se tem uma noção real e muito fácil do cotidiano, em que os pais são assalariados ou apenas um trabalha fora, pessoas que lutam para pagar as contas, moram em casa alugada, vivendo cada ano em busca do alívio chamado férias ou rumo a tão sonhada aposentadoria.

Esta é a típica estrutura de vida que gera reclamações e leva a frustrações. Muitas vezes, as frases que compõem este discurso se referem a um patrão mau, muito rico e opressor, da injustiça imposta. Pessoas de classe média baixa sempre têm a noção de que precisam se apoiar na ajuda do governo ou qualquer outro tipo de assistência social, o que, na maioria das vezes, se torna realmente necessário devido às condições financeiras precárias.

Agora imagine uma criança que é criada com a perspectiva de vida que existe nesse ambiente. Durante seu crescimento, ela irá escutar várias vezes como o dinheiro é difícil, que está relacionado também com a ideia de que todo trabalho é árduo e que todos os ricos são injustos.

Quando este indivíduo se tornar adulto e tomar algumas decisões na vida, irá almejar ser bem-sucedido, com a firme convicção de que não vai sofrer o que os pais sofreram, buscando ter uma vida totalmente diferenciada. Porém, há em seu subconsciente crenças arraigadas de que ricos são injustos mesmo que, no âmbito consciente, este indivíduo queira ter muito dinheiro. Cada vez que ele acumula uma soma significativa de valores ou fecha um negócio que pode trazer ascensão financeira, aos poucos surgem fracassos no processo, seguidos de grandes perdas monetárias, que é um modo inconsciente de jamais acumular dinheiro. Isso ocorre, pois sua mente inconsciente rejeita a ideia de riqueza e entende que está fortemente ligada com a "maldade e injustiça dos ricos", porque é sentida de forma muito negativa.

Essa "crença subconsciente" é que controla e cria a realidade da maioria das pessoas! Antes de seguir em frente, é preciso aprender como mudar essas crenças subconscientes e como tomar o controle da realidade, quer dizer, como sair da posição de "escravo" para a posição de "criador" da realidade existente.

O subconsciente precisa ser controlado para transformar a vida de maneira que torne possível atingir metas e objetivos. Para começar é preciso saber quais são as "crenças subconscientes" dominantes na vida e, depois disso, é hora de fazer a inserção de novas "crenças subconscientes" que combinem com as vontades e objetivos. Por meio de frases-chave que serão discorridas neste livro, em um processo de repetição de 30 a 90 dias, na verdade este é o período em que se formaram as "crenças subconscientes" anteriores. Após serem criadas as novas crenças subconscientes, surgirá a partir daí a nova realidade e, consequentemente, uma nova vida.

As novas crenças subconscientes serão criadas a partir de algo já usado e bem conhecido para todos: os dez mandamentos. Não se trata de algo bíblico ou estritamente religioso, mas, sim, de uma forma sistemática que irá penetrar no subconsciente e criar novas crenças subconscientes positivas, fortalecendo um controle maior, o controle da vida de forma completa.

A verdade e a realidade

Muitas vezes eu escuto: a sua verdade é "tal", mas a minha é diferente!

Então é isso? Cada um com a sua verdade? Não existe algo mais contraditório!

A verdade é absoluta e um mais um sempre valerá dois, não importa seu sexo, idade, raça ou nacionalidade. Porém, sua realidade é subjetiva, de caráter particular, individual, isso conforme as suas crenças subconscientes.

Assim sendo, você é livre em criar uma realidade favorável para o seu crescimento. O governo e a política são comuns, a bandeira é a mesma, o dia e a data são iguais para todos. Isso é a verdade e ela é absoluta! Aproveite o fato de que a realidade é flexível e sempre está em movimento, só depende de você.

O mundo é a "verdade", e como você o vê é a sua realidade!

Os dez mandamentos para uma vida de sucesso

1- Eu sou

Saiba que tudo o que acontece com você em sua vida começa e termina com você. Você pode. Você é digno. Você é capaz. A hora de começar a acreditar em si mesmo chegou. O momento de começar é agora!

26 - E *D'us* disse:

> "Façamos homem à nossa imagem, conforme a nossa semelhança, e que domine sobre o peixe do mar, sobre a ave dos céus, sobre o animal em toda a terra, e sobre todo réptil que se arrasta na terra!"

27 - E *D'us* criou:

"O homem à Sua imagem, à imagem de *D'us* o criou; macho e fêmea criou-os."

28 - E *D'us* os abençoou e lhes disse:
"Frutificai, multiplicai, enchei a terra e subjugai-a, e dominai sobre o peixe do mar, sobre a ave dos céus e sobre todo animal que se arrasta na terra!"

29 - E *D'us* disse:
"Eis que vos tenho dado toda erva que dá semente, que está sobre a face de toda a terra, e toda árvore em que há fruto de árvore que dê semente; a vós será para comer."

30
"E para todo animal da terra, para toda ave dos céus e para tudo que se arrasta sobre a terra - em que haja alma viva, toda verdura de erva será para comer e assim foi."
(Gênesis 1,26-30, Bíblia Hebraica, Editor Sêfer).

Quando *D'us* criou o mundo, se consultou com a alma de Adão, de acordo com sábios judeus e falou:

— Vamos criar um corpo para você? Vamos colocar nele todas as forças da criação? Todas as forças da natureza em que poderá ter domínio acima destas, e de ser um criador parceiro na Sua criação?

Por este texto é possível entender a visão judaica de como e qual foi a ideia da criação do homem, não para ser salvo ou escravo, mas, sim, para que vivesse a fim de cumprir sua missão de se transformar em criador de sua vida e de seu mundo. Ou seja, o Criador deu para você o poder. O poder da escolha para ser um influenciador ou influenciado. Quem decide é você. Quem tem o poder de tomar o controle ou abrir mão deste propósito é só você, mas lembre-se de que com o controle vem a responsabilidade. Com o poder vêm as consequências. E um homem que foi criado à semelhança de *D'us*, o Criador, é alguém que sabe e concebe o poder que envolve tudo que seja para o bem ou para o mal. Porque lembre-se, no princípio já foi entregue a você todos os poderes da criação, você foi consultado e aceitou a sua missão. Agora precisa agir.

2 - Não terá

As frases-chave da falta de ação, falta de assumir a responsabilidade na vida são: "tudo certo", "deixa comigo". Entre outras frases: "assim que", "eu tenho que", "esta é a minha vida". Acontece que isso funciona ao contrário, junto com a ajuda do céu, precisamos assumir as responsabilidades por nossas vidas. Não haverá nada se depender de si mesmo.

Nos dez mandamentos, *D'us*, o Criador disse o seguinte:

> "Pois Eu Sou o Eterno, teu *D'us*, *D'us* zeloso, que cobre a iniquidade dos pais nos filhos, sobre terceiras e sobre quartas gerações aos que me aborrecem."
>
> (Êxodo 20,5)

Ao contrário do que muitos pensam, de acordo com este versículo, alguém pode pagar pelos pecados dos outros, mas isso não é a forma judaica de pensar. Este trecho explica que as ações de hoje têm consequências que se propagam e perduram por um longo tempo.

A palavra iniquidade pode ser entendida como uma transgressão, mas também pode ser entendida como "responsabilidade".

Basta imaginar que quando se faz algo bom ou ruim, qualquer ação tem reação, positiva ou negativa. E essa reação vai influenciar todos que estão ao redor, desde os filhos, netos e até bisnetos. Tudo o que é feito traz consequências, terá a "contra ação" ou a reação que é necessária. Há que se levar em conta que isso vai influenciar os outros. Por exemplo, um assassino que mata alguém, pecou, transgrediu a lei do país e a Lei divina e agora ele vai ter que responder por esse crime cometido. E os parentes da vítima? Estão sofrendo ou não? Estão com dor ou não? Esse sofrimento não dá a sensação de "fim de mundo"? Mas, que culpa eles têm? Não é isso que alguns se perguntam?

Nossos sábios nos ensinam que o culpado que transgrediu a lei vai responder sim, mas quem está ao redor vai ver ou vai experimentar as consequências do caso, mesmo que não tenha transgredido ou participado. Isso ocorre muito mais vezes do que se pode imaginar. Outro exemplo: acidentes de automóvel, incêndios, ou qualquer desastre comum acontecer.

Todos nós, mesmo os mais justos, não estamos livres de consequências.

Agora que entendemos esse ponto, que a vida vai além da escolha, é preciso entender as consequências das escolhas.

Para criar uma vida valiosa, uma vida de exemplo, o que temos que fazer além de fazer as escolhas certas é ter responsabilidade com as consequências dessas escolhas, para o bem ou para o mal.

Claro que todos querem ser parabenizados quando conseguem atingir o sucesso e alcançam algum objetivo. Ninguém quer enfrentar fracasso ou desastre. A verdade é que a vida tem uns momentos de alegria e de sucesso, mas muitos momentos de desgraça. O segredo é saber transformar esses momentos de desgraça em aprendizado, para uma vida de sucesso. Os maiores exemplos de sucesso que temos no mundo não são de pessoas que sempre deram certo, sempre conseguiram vencer, mas são aquelas histórias de pessoas no fundo do poço, que após tomar uma atitude conseguiram reverter a situação. Essa atitude chama-se "responsabilidade"!

Responsabilidade é o que cria o caráter. Imagine que você esteja andando pela rua e, de repente, ouve um cachorro latindo e correndo na sua direção. A primeira coisa que vai fazer é começar a correr, isso é o natural, pois um *doberman* está atrás de você. Mas, a coisa correta a fazer é parar de fugir e correr na direção do cão. Não recomendo a ninguém que não tenha experiência com cachorro a fazer isso, pois podem acontecer duas coisas: além de você perceber que o cachorro que estava correndo atrás de você, não era nada mais do que um *pinscher*. Verá que no momento que ele vir você correndo na direção dele, sairá correndo fugindo.

Nossas vidas são assim, tentamos evitar enfrentar nossos problemas ou dificuldades que são semelhantes a um cão bravo perseguidor. Mas, na hora que criamos coragem e tomamos atitude para enfrentar o que está em nossa responsabilidade, quando fazemos isso com a atitude certa de resolver ou consertar o que precisa ser feito, é percebido que o cão bravo nada mais era do que um *pinscher* com mais medo do que nós.

Sabemos que as escolhas geram consequências boas ou ruins, é preciso enxergar o erro e admiti-lo, ser cada vez mais responsável por seus atos, ser verdadeiro e corajoso para enfrentar os desafios e atingir uma vida de qualidade, sem estresse e sem preocupações.

A responsabilidade é um grande dever com todos ao redor, e com as pessoas que se convive diariamente. Se já entendemos quais são os resultados das ações, que tal começar a ter atitudes melhores?

Fica muito mais fácil ser responsável por boas ações, é bem mais gratificante. É bem melhor ser reconhecido por boas ações do que por ser um malfeitor, não é? É um grande sinal de caráter assumir os próprios erros e lutar para consertar o problema gerado por aquela atitude. Este é o começo de uma boa ação que pode gerar bons frutos no futuro. Então, já é hora de parar de ter medo em excesso e fugir dos problemas e desafios, é hora de virar-se na direção destes e enfrentar as dificuldades e os erros. É hora de começar a encarar a vida de frente!

3 - Não tomarás o nome de D'us em vão

Pare de colocar a responsabilidade dos seus fracassos sobre *D'us*; pare de reclamar sobre a falha de habilidade que você tem para chegar ao céu. Pare de evitar cumprir suas tarefas, de ficar se justificando e escondendo a sua falta de atitude com argumentos desse tipo: "*D'us* ajudará", "O Senhor irá", "se *D'us* quiser". Ele quer! E está esperando sua ação!

Agora, depois que já está entendido que as rédeas do poder, do controle e da escolha estão em suas mãos, você precisa decidir se irá utilizá-los para o bem ou para o mal.

Muitas pessoas têm medo de tentar, não devido às dificuldades, mas por medo dos possíveis erros que podem ocorrer. Lembre-se de que os únicos que não erram são os que nunca tentaram, mas que também nunca vão para lugar nenhum.

A vida é curta, não se deve perder tempo com medos e ilusões, é preciso começar a agir. Estamos no mundo físico, onde tudo se move por ação, quer dizer, por ações físicas feitas pelas forças da natureza. Você tem a escolha de influenciar o mundo ou ser influenciado pelos outros! O que você decide?

O poder está em suas mãos. Comece com atos pequenos, atos diários sempre constroem uma grande revolução, assim é com a transformação mental desenvolvida em médio prazo, de 30 a 90 dias. Muitas pessoas pensam que é necessária uma mudança grande e radical para viver uma transformação relevante e significativa, mas isso não é verdade, em um jogo de tudo ou nada, o resultado pode ser nada, nem sempre radicalismos geram resultados esperados.

Muitas pessoas que agem dessa forma, seja em dietas, brigas ou relacionamentos, podem até ficar bravas e protestar, mas é preciso admitir que ser reacionário nada mais é do que "fogo de palha", ou seja, se queima rápido e não sobra nada depois. Por isso temos que fazer mudanças de forma equilibrada e por etapas. Se tivermos ações positivas ampliadas a cada dia, com 1% de melhoria, será possível contabilizar o que acontecerá depois de 100 dias? Você será 100% melhor do que você era há 100 dias!

4 - Lembra-te do dia de sábado

Ocasionalmente parar e verificar o seu trabalho, para onde você está dirigindo, qual a direção que está conduzindo sua vida. Quando você para, também deve verificar o quanto se afastou dos lugares errados que esteve no passado. Se você faz essa pausa para verificar, há uma chance de perder a direção.

Agora que você conhece o poder da ação, é importante não fazer nada sem pensar e sem analisar. Depois que você definiu suas metas e objetivos e entrou na trilha, preste atenção ao caminho também, sem desfocar dos objetivos. Observe de vez em quando o caminho que decidiu seguir. Não é qualquer meio que é válido para atingir os objetivos. Avalie se você está agindo de acordo com a mentalidade correta e positiva, se você está sendo honesto consigo mesmo e com os demais ao seu redor.

Essas pausas reflexivas, quer sejam pessoais ou em grupo, ou até mesmo em empresas, fazem parte de uma trilha para o sucesso. Essas avaliações não têm que ser feitas apenas com a finalidade de criticar, mas servem para avaliar os resultados de melhoria e o quanto houve de evolução. É o momento em que você pode se sentir orgulhoso, afinal está indo bem e não ficou acomodado. Uma pausa é um ótimo momento para se preparar para um novo período, novo impulso para um novo alcance, mais uma montanha conquistada.

Isso deve ficar claro, é necessário ter um dia não só para reflexões ou para trabalhar ainda mais, é preciso ter um dia dedicado ao descanso e ao lazer, um dia diferente do cotidiano pesado de tarefas e de trabalho. É preciso separar um tempo para a família, para curtir os *hobbies* e a diversão, um tempo tranquilo e que, em geral, é extremamente útil para recarregar as baterias!

5 - Respeitar / honrar

As pessoas ao seu redor e com quem você tem contato abrem seus olhos e seus ouvidos, para escutar e aprender novas abordagens na vida. Com elas, muito provavelmente você sairá ganhando.

Os sábios judeus ensinam que tudo que você ouve ou visualiza ao redor é feito para tirar uma lição, tudo é um aprendizado para o seu crescimento.

Entendendo isso, você começa a ver as pessoas ao seu redor sob uma luz diferente, pois todos de sua convivência ajudam em sua evolução. Lembre-se de que nem sempre olhar do alto é sinal de sucesso, às vezes é necessário ter a perspectiva de baixo em algumas situações. Às vezes se abaixar significa respeitar o outro, pode ser que ainda seja desconhecido e não compreendido, sair do alto do orgulho e se inclinar em direção à humildade pode significar que decidiu abrir o coração.

Não foi por acaso que fomos criados com dois ouvidos e uma única boca, é preciso ouvir mais do que falar.

6 - Não assassinarás

Há pessoas que matam suas habilidades e correm dia após dia atrás do nada. Elas são excelentes em construir castelos imaginários no ar. Por fora parecem brilhantes e talentosas, mas realmente fogem de uma ação comprovada. Os dias passam a ser em vão, resultando em nada além de frustração e de grande sofrimento.

Um dos maiores arrependimentos que as pessoas têm no final da vida não está relacionado com coisas que fizeram os sucessos ou os erros. Na verdade, o maior arrependimento é o conhecimento de que poderiam ter conquistado mais, ter sido mais e melhor. O maior erro da vida é a paralisia mental.

O ser humano foi criado à imagem e semelhança de *D'us*, o Criador e, com isso, aprendemos que os seres humanos têm embutido em si mesmos o poder divino de serem criadores, criadores da realidade e da história.

É correto abrir mão deste dom?

O veneno que mais mata é a preguiça, tem uma ação vagarosa que aos poucos causa a doença da paralisia mental e vai aniquilando cada dia mais a vida das pessoas!

Cuidado! Cuidado com esse veneno que acaba com esperanças e sonhos. Porém, qual é o antídoto para a preguiça? Ficar ativo dia após dia, tentar sempre fazer mais para ser melhor, aquela melhoria de 1% a cada dia.

7 - Não cometerás adultério

Pare de perseguir outras coisas na vida

para ter satisfação momentânea. Instantes descartáveis não irão beneficiar ao longo do tempo. Comece a investir em coisas sustentáveis que servem de apoio real nos tempos difíceis. Esteja conectado aos lugares reais no fundo da sua alma e não se deixe apegar pela ilusão reluzente.

Muitas pessoas querem ver resultados rápidos, mesmo sabendo que nem a natureza dá resultados da noite para o dia.

Outras tantas fazem ações ou tarefas com o objetivo de receber algo em troca. Não têm paciência de esperar, crescer, florescer, amadurecer para que possam colher os frutos. Preferem as coisas instantâneas, rápidas, que na verdade têm mais ar do que substância, têm mais ilusão do que algo físico, real. Igual às drogas, com as quais se pode alcançar algum nível espiritual mais elevado do que o físico, mas é ilusão, e algo exterior não é real, por isso não dura, vicia e faz desejar cada vez mais, até perder a noção do que é importante: a elevação espiritual. Refletindo bem, não são só as drogas que fazem alguém ficar perdido, buscando o prazer rápido e momentâneo, ao invés de esperar, aguardar com paciência para que os verdadeiros resultados dos seus esforços, do seu trabalho e do seu crescimento venham. Isso não tem preço.

Você se lembra de quando era criança? E quando era adolescente? Se lembra de quando estava esperando o dia da graduação? E do dia do casamento? E quando esperava o nascimento dos seus filhos? Quando esperava a chegada de um pacote nos correios, que veio de longe?

Lembre-se de ter paciência, isso é algo para ser aprendido, uma virtude que quanto mais é cultivada, mais é possível beneficiar-se dela.

Pode parecer engraçado:

Saiba que, muitas vezes, embora não pareça, a paciência é o caminho mais rápido!

8 - Não roubarás

Pare de roubar as ideias dos outros. Se você vai começar a pensar "fora da caixa", seja original, você não vai precisar das ideias dos outros. Você possui habilidades e competências suficientes.

Os sábios judeus perguntaram uma vez por que *D'us*, o todo poderoso, não criou o mundo já com todos os sete bilhões de seres humanos que vivem atualmente nele. Não é difícil para *D'us*, se criou um pode criar todos, não é mesmo?

A resposta a seguir é algo que vai mudar este conceito. *D'us* criou o homem com todos os poderes da natureza embutidos nele, e falou:

— Este mundo criei para você, para dominar e para cuidar, para trabalhar e crescer. Você é o único no mundo físico e tudo que foi criado é para o seu bem, cuide bem de tudo e faça o melhor que puder...

Isso significa que cada ser humano é uma criação única, não há ninguém igual ao outro, que simplesmente tem ações iguais, não há uma missão igual a outra.

O rabino Nachman de Breslev diz que quando o homem nasce para o mundo, é o momento que *D'us* decidiu que a criação precisa dele e não será mais igual na sua ausência!

É você! Sim, está falando de você! De cada um de nós! Você tem tudo o que é necessário para ser original e criador, não precisa imitar ou roubar ideias dos outros, pode até se juntar com outras pessoas, unir forças para que ambos cresçam.

Lembre-se da lei da sinergia, quando um mais um "não vale dois", mas vale por "três"! Que quando dois se juntam para atingir um objetivo comum, a energia emitida ou o resultado em diversos aspectos é muito maior do que os resultados daqueles que trabalham sozinhos.

9 - Não se enganar

Você sente como se estivesse girando em torno de si mesmo? Você sente que está trabalhando onde não é adequado para você e desperdiçando suas habilidades de graça? Chegou a hora de parar de se torturar. Saia da sua zona de conforto, eleve-se do medo arrepiante e comece a mudar seu estilo de vida. Cá entre nós, quanto tempo você ainda pode continuar assim?

Imagine uma árvore com um tronco forte, raízes nas profundezas da terra e o seu topo está lá em cima, nos céus. Enfrenta o vento e a chuva, o calor do sol e o frio da neve, enfrenta todos os elementos da natureza e nunca sai do lugar.

Podemos admirar tamanha força e atitude, tanto poder. Enquanto estiver parado, chegará o dia em que o tronco não vai aguentar mais, as raízes vão começar a ceder e não será preciso um furacão, um vento mais forte fará esta árvore cair.

Você não é como a árvore! Não fique na zona de conforto, tentando enfrentar os elementos da natureza. Na vida passamos pelas estações do ano, há o momento de inverno ou de verão, época de plantar ou de colher. Mas, o homem sábio não tenta plantar fora da época ou colher antes da hora. Homens sábios não sofrem com o frio ou o calor, mas buscam soluções para se esquentar do frio e se proteger da chuva e do vento. E o sábio sabe ter paciência e esperar o momento da colheita!

Lembre-se: você não é uma árvore! Se não gosta da situação em que se encontra, mude!

10 - Não cobiçarás

O sucesso de outros que não se encaixam no seu caráter e personalidade. Toda pessoa tem "caixas de ferramentas" que recebeu quando nasceu dos céus. Você também tem grandes habilidades e opções que podem impulsioná-lo. Quando você segue sua própria rota, terá sucesso bem maior do que imitar os outros. Esta é uma promessa.

Você é um criador! Você tem tudo de que precisa para formar seu sucesso e melhorar sua história de vida.

Quando ficamos de olho nos outros, pensamos que merecemos o que eles possuem, e isso além de gerar a inveja, torna-se o maior inimigo do sucesso.

Se você vê alguém que dispõe do sucesso que você deseja, parabenize a pessoa, deseje a ela o melhor possível, e o mais importante: inspire-se com as possibilidades reveladas a sua frente. Pegue suas habilidades, seu potencial, e mãos à obra, comece a fazer por você, comece a criar o seu sucesso, a sua história única!

Criando confiança por meio das letras hebraicas

As letras hebraicas, de acordo com a filosofia judaica, são as pedras fundamentais da criação e podem ser consideradas seu DNA. Atualmente, não é mais segredo que palavras criam realidade.

As letras hebraicas não formam as palavras e cada letra é um código. Se entendermos este código, poderemos aprender como criar uma realidade favorável, e até transformar uma situação desagradável em uma situação positiva!

A seguir, relatos sobre as cinco primeiras letras na língua hebraica, que são as cinco letras criadoras de emoção e realidade. Por meio delas, você vai ter mais sentido na vida, vai aprender a controlar as emoções e transformar a forma que enxergava a vida até hoje.

É possível escrever um livro inteiro sobre cada uma das letras do alfabeto hebraico, mas nos focaremos no assunto de como podemos transformar a mentalidade e a realidade por intermédio do poder das primeiras letras.

Alef א

É a primeira letra no alfabeto hebraico, o valor numérico dela é "um". A palavra que é criada com a letra *Alef* que tratamos é: amor – *ahava* אהבה.

Todos querem ter amor na vida, receber e compartilhar. O ser humano é uma criatura social, portanto, precisa sentir amor em sua vida.

Como podemos criar mais amor? Para encontrarmos a resposta, temos que entender o que emite o amor, como é criado na vida das pessoas. Imagine que você tenha filhos ou animais de estimação que ama incondicionalmente. Sem querer nada em troca, o que gerou esse amor? O que faz pais ou donos sentir um amor ilimitado? Possuir um amor que só cresce mais a cada dia?

A resposta é o contrário do que se está acostumado a ouvir no mundo de hoje.

Todos nós já conhecemos esta frase: "amar é cuidar". Ou seja, você cuida de quem você ama.

Mas, a verdade é que quanto mais você cuida de alguém, mais amará a pessoa! O amor é o resultado de cuidar, de querer o bem do outro. Cuidar cria amor.

Como criamos mais amor na vida? Basta começar a cuidar e fazer o bem para os outros! Começar a ver o bem nas pessoas, isso vai criar mais amor na sua vida! E lembre-se: faça disso um hábito entre 30 a 90 dias seguidos. É garantido que isso trará mais amor ao seu dia a dia.

Beit ב

A letra *Beit* é a segunda do alfabeto hebraico, com valor numérico de "dois".

O que trataremos é a palavra que começa com a letra "*beit*": confiança – *Bitarron* ביטחון.

Confiança no Eterno e em si mesmo é a parte mais importante na vida, desenvolver confiança no Eterno que nos criou e trouxe até o presente momento. Muitas pessoas pensam que possuem confiança, isso é verdade, mas na realidade vão constatar que essa confiança só existe enquanto as coisas estão indo bem, porém, basta que a situação mude, fique mais difícil e desfavorável, para aquilo que era visto como confiança caia totalmente por terra.

Todos nós chegaremos a um ponto crucial de nossas vidas, quando a nossa fé realmente será testada, e só depois que passarmos pelo teste é que descobriremos se realmente temos a confiança que pensávamos ter no Criador.

Nosso patriarca Abraão, conforme a história nas escrituras judaicas, foi testado por dez vezes. Você se pergunta: por que *D'us* precisa testar alguém? Será que o Criador, com sabedoria ilimitada, precisa testar a capacidade de alguém? Será que *D'us* precisa que provemos algo a Ele, já que Ele é o Todo Poderoso? Quem conhece o coração do homem precisa nos testar?

A verdade é que os testes que passamos na vida, dificuldades e desafios, servem para ensinar e provar para nós mesmos a capacidade de realizar todo o potencial que está dentro de cada um de nós. Em hebraico, as palavras "teste" e "elevação" têm a mesma base: *nisaion* ניסיון.

Significa que, na verdade, tudo que passamos na vida, ruim, bom ou melhor, as quedas ou as subidas, os fracassos e os sucessos, tudo veio para nos elevar a uma condição maior. Nós, meros mortais, temos discernimento para entender naquele momento, então, enquanto isso, precisamos ter a confiança que nosso Pai Criador quer o nosso bem! Que o período desafiador irá servir para o crescimento e desenvolvimento. Não se trata de "fé", porque a fé vem na falta de saber. Quando não sabemos ou não temos conhecimento, precisamos da fé para nos guiar. Confiança se trata de saber! Como já estudamos especialmente no livro *Mentalidade judaica positiva*, qualquer pai sempre quer o bem do filho, e mesmo que pareça que um pai seja rígido ou duro, tenha certeza de que ele quer o bem do filho. Quanto mais rigoroso for o pai, mais potencial ele vê no filho, assim é em muitos momentos na vida. Se você serve ao exército, é um atleta ou trabalha para uma empresa, sempre os que estão mais sob pressão, normalmente são aqueles que não só têm mais responsabilidade, mas também são aqueles em que o potencial é maior!

O Criador o conhece, conhece melhor do que você conhece a si mesmo, sabe quem é você e como o criou e, mais ainda, sabe em quem você pode se transformar! Tenha confiança, se não em si mesmo, por enquanto tenha confiança em quem o criou, que sabe e conhece a sua capacidade e potencial. Assim, nosso patriarca Abraão, depois dos dez testes feitos por *D'us*, já estava apto a ter confiança em si mesmo e sabia quem era e em qual potencial poderia se elevar. Confie, tenha certeza de que a vida será melhor. Compreenda que as provas da vida existem para elevar, para extrair o seu melhor e revelar o alto potencial que há em você.

Quando precisamos melhorar algumas coisas na vida emocional, espiritual e física, pedimos a ajuda de *D'us*. Por exemplo, quando queremos ser mais pacientes, mais alegres ou mais assertivos e melhorar nossas qualidades de liderança, o que *D'us* vai fazer, na verdade, é nos colocar à prova justamente para exercitarmos a capacidade ou qualidade que almejamos adquirir.

Guimel ג

A terceira letra do alfabeto hebraico, com valor numérico de "três". Trataremos da palavra orgulho – *Ga'ava* גאוה.

Desde pequenos aprendemos que o orgulho não é algo positivo, os sábios judeus nos ensinam que onde há orgulho *D'us* não se encontra.

Quando uma pessoa se sente orgulhosa não dá espaço para ninguém mais, isto é o famoso "EGO".

Mas você pode perguntar: então não posso ter orgulho de mim ou das minhas conquistas? Ou ter orgulho dos meus filhos?

A resposta é simples: há grande diferença entre ter orgulho momentaneamente e ser orgulhoso permanentemente. É possível ter orgulho das nossas conquistas e realizações adquiridas pelo esforço, mas se ser orgulhoso é o seu "eu", isso significa que você se acha melhor e mais importante do que o outro!

Ter orgulho é saber o seu valor, os seus méritos, mas, ao mesmo tempo, não se achar superior aos outros e manter sempre o respeito por eles.

Na natureza existem várias plantas venenosas ou mesmo animais venenosos que têm sua cura extraída do próprio veneno, mas em quantidades menores, bem controladas. O orgulho, tanto como outras emoções negativas, deve ser servido em pequenas quantidades, bem controladas. Caso a dose seja alta, pode levar à morte.

Uma dica importante para eliminar o caráter orgulhoso é usando a mesma letra, "o veneno", em outra palavra que é: caridade – *Guemilut* גמילות.

Quanto mais caridade é feita, quanto mais se ajuda o próximo, se consegue baixar os níveis de "ser orgulhoso" e começar a ter apenas satisfação por nossas ações. De forma mais humilde, ficamos contentes com a pessoa que nos transformamos.

Dalet ד

A quarta letra do alfabeto hebraico, seu valor numérico igual a "quatro". A palavra que trataremos é: preocupação – De agá דאגה.

No livro *Mentalidade judaica positiva*, relatamos sobre as duas coisas que causam preocupação ao ser humano, ambas não existem, mas tiram o sono do homem!

O passado e o futuro, um já foi e o outro sempre fica inexistente. Aquele famoso "amanhã", um tempo que nunca chega, mas tira nossa calma e a nossa tranquilidade.

A seguir discorreremos sobre a questão de como as letras da palavra "preocupação" são pedras fundamentais de crenças subconscientes, como em todas as letras no alfabeto hebraico.

Na palavra "preocupação", em hebraico, há quatro letras, sendo que três delas já foram citadas:

1. *Dalet* ד – A nossa letra do assunto;
2. *Alef* א – Falamos sobre ela na palavra amor – ahava.

3. *Guimel* ג – A letra fundamental do "orgulho" e, do outro lado, da "caridade".

4. *Hei* ה – A letra do próximo capítulo, que trata do "agradecimento".

Se prestou atenção neste capítulo que trata das cinco letras fundamentais para criar a transformação de mentalidade, perceberá que a palavra *"De agá"* – Preocupação tem quatro das primeiras letras do alfabeto hebraico. Interessante que a única letra que está faltando é a letra *Beit*! A segunda letra do alfabeto hebraico é a letra fundamental da palavra: confiança *Bitarron* – ביטחון.

Quando você não tem confiança, você terá preocupação. Você pode ter o amor, orgulho das suas conquistas e também pode estar cheio de gratidão, mas enquanto não tiver confiança em D'us, em si mesmo e em sua habilidade e talento, vai viver em estado de preocupação constante! E isso ninguém merece! Crie o hábito de ter mais confiança. Se precisar, volte no capítulo deste livro que trata sobre o tema.

HEI ה

A quinta letra do alfabeto hebraico, com valor numérico de cinco. A palavra fundamental da letra *Hei* é a palavra "Gratidão" הודיה.

A primeira palavra que ensinamos aos filhos é "papai ou mamãe", logo em seguida ensinamos nossos filhos a falar "obrigado". Desde pequenos somos educados para sermos gratos por tudo que recebemos. A pergunta é: será que realmente eu agradeço por tudo o que tenho na vida ou só fico reclamando do que não tenho?

Voltando à fase de criança, em tudo que recebemos, seja dos pais, professores ou pessoas mais velhas em geral, sempre foi exigido que falássemos "obrigado", ou seja, agradecer pelo que foi oferecido.

Pense em uma criança que não agradece, o que os adultos dirão? "Se não agradecer não irá receber mais!" E isso por quê? O que tem a ver a ingratidão, com cessar um bem a receber? Já pensou?

A verdade é que gratidão é uma emoção que gera movimento cósmico, espiritual e físico, que vai atrair mais coisas boas em sua direção.

Ninguém gosta de perceber a ingratidão das pessoas, não é? Ninguém gosta de fazer algo para alguém e não ser valorizado. Temos que fazer o bem, sem querer nada em troca, mas reconhecimento e gratidão é uma boa ação também. É sinal de que valorizamos o trabalho e o esforço que outras pessoas fazem. A emoção contida no sentimento de gratidão irá transformar a mentalidade e, com isso, criará uma nova realidade mais favorável e positiva.

A gratidão nunca deve ter limites! Sem isso, não se alcança quase nada. Comece a agradecer, a sentir a emoção de gratidão por tudo o que você tem na vida. Coloque o seu foco na gratidão, ao invés de se concentrar nas coisas que ainda não possui. Só assim vai ter mais do que você quer e precisa! E se lembre sempre: a gratidão é a chave que abre todas as portas.

CAPÍTULO 8:
Plano A-B-C

Por toda literatura que estudei e pesquisei, bem como em todas as palestras motivacionais das quais participei, sempre senti que faltava algo. Procurei tirar o máximo proveito possível em ambos os casos – lição e moral, e fiquei cheio de motivação e entusiasmo. Sempre me via como um elefante animado dentro de uma loja de presentes, com tanto ânimo, pulando e arriscando quebrar tudo. Descobri que o que sempre faltava era um plano de ação. Se já estou motivado, pilhado, animado, como canalizar toda essa energia? Por onde começar? E, ainda, como fazer acontecer?

Então, para ajudá-lo – na verdade era para me ajudar, quando a ideia é entrar em ação e não demorar para agir, criei uma ferramenta de ação: plano A, B e C – Arranca a Bunda da Cadeira.

Preparado? Vou chamá-lo para a ação!

Primeira chamada

Escreva tudo o que você tem para fazer. Elabore uma lista de tarefas diárias, semanais e mensais. Defina as prioridades, comece a fazer o que é mais importante para o seu avanço. Pense bem, muito daquilo que você pode considerar importantíssimo nem sempre o levará adiante. Agora siga em frente! Se for para resolver as dívidas ou montar um empreendimento, cuidar da saúde, seja o que for, aja!

Segunda chamada

Procure por um mentor, procure por alguém em que você tenha confiança, que tenha conhecimento na área que você busca resolver, ou desenvolver. Busque um mentor, mesmo que isso signifique ter que pagar por um agendamento. Existe um ditado famoso no judaísmo que diz: **não há um sábio melhor do que aquele que aprende com a experiência!** Agora imagine um sábio que aprende com a experiência dos outros. Por isso, não seja cheio de si, procure um mentor que poderá guiá-lo para alcançar seus objetivos, não importa quais sejam!

Terceira chamada

Respire, ou melhor, não se esqueça de respirar. Muitas vezes, ao longo do dia, com tantos afazeres, a correria é grande e, de repente, você fica sem ar e nem percebe, só se dá conta quando para por um instante e respira profundo ou, na maioria dos casos, já bocejando. Isso significa que está com falta de ar. Você está colocando ar para dentro, mas não está respirando. Vários estudos comprovam que respirar de forma correta ativa a produção de "neuroquímicos" que promovem a saúde mental e física e, de preferência, pelo nariz, afinal, ele foi criado para isso. E quando você tiver uns cinco minutinhos para fazer exercício de respiração, eu recomendo o seguinte: inspire colocando ar para dentro dos pulmões, contando até quatro, segura contando até seis, e expire soltando o ar dos pulmões, contando até oito. Repetindo o exercício de três a quatro vezes, você começará a sentir uma diferença e, com a prática constante do exercício, notará uma transformação na saúde mental e física.

Quarta chamada

Avalie como você se encontra. Como está passando? E a saúde? A primeira providência para chegar à cura é descobrir qual é a doença, isso porque muitas pessoas ficam ignorando a situação em que se encontram, pensando que não é nada, e que logo vai passar, quando, na verdade, fechar os olhos para a situação não faz o perigo desaparecer. Aquela história que sempre conto: quando há um cachorro que corre atrás de você, quanto mais rápido tentar fugir, mais rápido ele irá atrás e vai alcançá-lo. Muitas vezes, esse cachorro não é nada mais, nada menos, que um *poodle* ou um *pinscher* que só faz mais barulho do que causa danos! O segredo é parar de correr, virar para encarar o cachorro e partir para cima dele! Assim é que ele vai sentir medo e fugir, correndo de você. Muitos problemas são como esses "cachorros", na maioria das vezes, nada que não se possa resolver enfrentando, mas se você encontra dificuldades, não enfrente sozinho, procure por um mentor, um perito. Jamais ignore o problema, pois pensar de forma positiva não quer dizer que o problema não exista ou que não mereça a devida atenção. Reflita sobre isto: se ao invés de você ficar só pensando e imaginando o seu jardim, que está cheio de erva daninha e mato abandonado, você pensar que ele está cheio de flores e bem arrumado, só o pensamento não o tornará nisso. O pensamento positivo verdadeiro é você saber que seu jardim está, sim, cheio de erva daninha, mas **é você quem tem a capacidade e habilidade para fazê-lo flo-**

rescer e ser bem cuidado! A grama do vizinho só está e fica mais verde, quando você deixa de regar a sua!

Quinta chamada

Pare de reclamar, acabou o "mimimi". Você está onde está por causa de suas escolhas do passado! *D'us* lhe deu o poder da escolha, por meio dela é criado o seu destino. Então, não fique chorando por causa do passado e não culpe ninguém. Esta é a hora que você toma seu destino em suas mãos! Se você não está satisfeito com sua posição na vida, é por causa das escolhas erradas feitas no passado. Quer mudar? Mude suas escolhas e vá sem medo. Arrisque!

Uma pesquisa feita com pessoas da terceira idade concluiu que o maior remorso não são os erros cometidos ou as escolhas malfeitas, mas, sim, as escolhas que não foram feitas por causa do medo, as oportunidades que não foram aproveitadas por puro comodismo ou "frescura". Essa é a pior sensação que o ser humano pode ter, a de não poder voltar para refazer, ou mesmo para fazer o que não se fez. "Mas, eu não tenho a oportunidade para fazer o que eu quero", já pensou isso, não é mesmo? Crie a oportunidade, saia do seu "mundinho quadrado", aumente sua QM – Qualidade da Mentalidade, e crie uma nova realidade!

Sexta chamada
Vicie-se. Vicie-se com as coisas boas da vida! Vicie-se com a felicidade e a alegria, com um sorriso, atividades físicas, ajudar o próximo, fazer o bem para o mundo. Vicie-se em tudo que o mundo tem de bom a oferecer, como o amor, a paz, a sua esposa ou marido, os filhos, a sua família, a saúde, e de novo, e de novo e, se ainda não viciou, tente novamente!

Sétima chamada
Ame a si mesmo. Sem amar a si mesmo, como poderá amar os outros? Como poderá ser capaz? Então ame a si mesmo e, assim, amará o mundo. So-

mente quem não se ama, briga, discute, cria confusão, fica deprimido e nervoso. Quem se ama, ama os outros. Acredite em si mesmo, e mesmo falhando, não pense menos de si próprio. Tente novamente, ame a si mesmo, como você ama seus filhos, como seus pais o amam ou como *D'us* o ama, mesmo, às vezes, sendo um filho rebelde. Todas as guerras, conflitos e desgraças que se têm na vida são derivados da falta de amor, não para com o próximo, e, sim, para consigo mesmo. "Eu tenho que ter o que o outro tem", ou "fazer o outro perder o que tem" para que eu me sinta melhor? Quando eu me amo, não importa o que o outro tem, pois "eu me amo". Você se ama?

Oitava chamada
Faça parcerias! Procure por pessoas que estão no mesmo objetivo que você, buscando crescimento, empreendimento, e que estão prontos para fazer o que tem

que ser feito. Não pense que vai conseguir sozinho, se pensar que sim, quem diz isso é o seu "EGO". Aprenda a usar a lei da "sinergia", onde dois unidos valem como a força de três ou até mais. Procure fazer parcerias e unir-se a outros para executar seus projetos. Além de ser mais fácil, não estará sozinho e vai se divertir, aproveitando o caminho, como diz o ditado judaico: "Um bom amigo encurta o caminho".

Nona chamada
Arrisque! Na verdade, o único risco que você vai ter é a ignorância. Quando você agir, estude, procure informação sobre o assunto, agir sem saber o que e como fazer, é arriscar. Não seja tolo agindo de forma cega! Procure estudar e se informar sobre a área de seu interesse, em que deseja atuar. Arriscar não só significa agir sem conhecer ou saber, mas o mais importante é não agir com informação errada! Não aceite opiniões de quem não sabe sobre o assunto, e que somente está interessado em dar opinião, não importa

o motivo, seja educado e simplesmente ignore! Procure por conhecimento, e não por opinião! Depois que você tiver tudo o que precisa saber para seguir em frente, **"não há risco algum"**!

Décima chamada

Faça pequenos atos de bondade todos os dias! As pessoas pensam que para ajudar os outros é preciso ser rico, ou bem de vida, afinal, "como vou ajudar, se nem eu consigo finalizar o mês?" Mas, na verdade, ajudar o próximo está nos detalhes, como diz o ditado: "*D'us* está nos detalhes". Já imaginou falar bom dia para o vizinho quando o encontra no elevador de manhã? Ou para o porteiro? Não é só uma questão de educação, mas cumprimentar de verdade, com sorriso e alegria! Saiba que isso pode transformar o dia da pessoa! Já pensou em ajudar uma família que precisa de auxílio? Adotar uma família? Eu conheço várias pessoas que fazem isso, ajudam a pagar as contas ou com alimentos. Só o fato de uma família (nesse caso, uma mãe com seis filhos, sem o pai presente) saber que não está sozinha no mundo, que ela tem para onde correr, imagine a emoção e a gratidão que você mesmo vai ter, pela oportunidade de fazer bem ao outro?

Sabia que em 90% das minhas palestras eu insisto que seja cobrada a entrada? Só que a entrada é um quilo de alimento não perecível. Por quê? Porque já conseguimos de 100 a 150 quilos em uma palestra e, com isso, ajudamos famílias necessitadas! Já imaginou fazer parte disso? Não há sensação melhor do que esses atos de bondade. Vou lhe dar mais um exemplo. Certo dia, estava voltando da feira e vi uma senhora puxando o carrinho de compras, com dificuldade para subir a rua, logo me ofereci para ajudar, na boa, com um sorriso. Já que estava no mesmo caminho, não custava nada, não é verdade?

O segredo da prosperidade judaica

A gratidão que eu senti em poder fazer um pequeno ato de bondade, mesmo tendo sido por apenas 100 metros, não há nada melhor. Tente, experimente!

Se você sabe o segredo, o que fará com ele? Guardará para si? Ou passará aos outros?

CAPÍTULO 9:
Conclusão

Recalculando a rota
(Sócio na criação)

Imagine agora que você quer investir no próprio negócio, com um espírito empreendedor, determinado, e que este negócio é o negócio da sua vida. Isso mesmo, imagine que é a sua vida! Esta que você está vivendo e quer muito transformar em um negócio de sucesso.

Mesmo porque, a vida é um negócio que precisamos saber administrar. E, como em qualquer empreendimento, deve ser elaborado um plano estratégico, com um objetivo definido. É preciso saber prever os obstáculos, as dificuldades a enfrentar, estudar e aperfeiçoar, ter conhecimento sobre o que é o negócio, avaliar a concorrência, saber competir e desenvolver competências. Além disso, fazer bom uso das oportunidades, saber tomar decisões e, quando tomá-las, avaliar os riscos e os custos, como agir frente aos imprevistos, saber como gerenciar o tempo, ter disciplina e foco no cronograma a ser cumprido e estar sempre atento aos prazos, para assumir cada degrau rumo ao objetivo. Mas isso não é tudo, como se sabe, todo negócio não é feito sozinho, é necessário ter parcerias, fornecedores, colaboradores e o auxílio de consultores especializados nas áreas de interesse do negócio.

O que você acha? Complicado? Difícil? Chato? Fique tranquilo, nesse negócio que chamamos de vida, você não vai precisar abrir uma firma, registrar papelada em cartório, ter licenças para atuar no mercado, contratar serviço de contabilidade, pagar impostos etc.

Se você achou isso uma boa notícia, tenho uma ainda melhor para lhe dar!

O plano estratégico, as condições e os meios, bem como a licença para atuar nesse negócio chamado vida, foram escolhidos e definidos quando você nasceu! Isso mesmo, desde o seu nascimento este seu negócio está em atividade.

E, se em algum momento você percebeu, sentiu que não está dando certo, por sua incapacidade de lidar com o negócio, movido pelo EGO, egoísmo e individualismo, achando que sozinho seria capaz e que faria tudo acontecer, ou pior, por ser dependente de atenção e apoio, cheio de carências e temores, por falta de iniciativa, reconhecimento, ou de oportunidade. Isso tudo tornou seu negócio inviável, agora é o momento da reflexão, de uma análise profunda, não sobre o negócio, como se fosse possível mudar de ramo, mesmo porque você não vai mudar de vida, não se esqueça, você escolheu esta, e é com ela que deverá viver, a reflexão é sobre si. De como você administra o seu negócio, a sua vida. Agora é o momento de uma retomada de posição!

De forma isenta e imparcial, avalie sua atual posição, onde e como está, como sente e reage a sua realidade no momento, o que queria ser, e o que você é, onde desejaria chegar, e onde você está.

Não procure por culpados, não diga a si mesmo que o governo, a economia, as pessoas, a política, o mundo, a sorte ou que o destino são os responsáveis por seu negócio, que é a sua própria vida, e por seu fracasso. Usar desse argumento na tentativa de justificar ter se transformado em um ser humano frustrado, rancoroso, insatisfeito, raivoso ou depressivo, amargurado, apático e vazio, culpando, assim, a tudo e a todos, sendo o tempo todo engolido pelo próprio EGO.

Mas, uma coisa é certa e de direito, o seu negócio aqui nesta existência é a sua própria vida, e com ela você faz a escolha que bem entender!

Saiba que você pode sentir raiva, gritar, espernear, xingar, fazer birra como uma criança rebelde ou, quem sabe, chorar, sofrer calado, ficar magoado, triste, e ser um coitadinho, como uma criancinha cheia de "mimimi", que o mundo e as pessoas não vão estar nem aí para você!

E então? Vamos tratar a situação com realidade, certo?

Existem frases famosas que o ajudam a se posicionar:

"A vida é feita de escolhas e você fez as suas."

"Colhemos o que plantamos."
"Você está onde você se colocou."

Se usou de honestidade e refletiu de forma isenta e imparcial consigo, e como se diz, "pôs a cabeça no lugar e os pés no chão", é hora de seguir em frente e tomar uma nova posição.

Agora você já entendeu que não dá para desistir do negócio, que é a sua própria vida, até porque isso não é uma opção! E sabe que para o negócio começar a dar certo, você precisa começar a mudar seu posicionamento, não em relação às coisas ou às pessoas e, sim, consigo. O mundo, por incrível que possa parecer, vai continuar sendo o mesmo de sempre, mas o seu mundo, este sim vai se transformar, e o modo como você o vê e sente que nunca muda, será bem diferente.

Mas, para que isso seja possível, o negócio, que é o mesmo desde o seu início, continua com seu objetivo definido. Agora, o que muda é o plano estratégico, o plano de ação.

Um novo planejamento, nova abordagem, novas ferramentas, e se você se considera um falido que não tem mais "crédito na praça" e que precisa pedir empréstimo para essa nova etapa, tenho novidades para você!

Neste seu negócio, que é a vida, você sempre terá crédito, ou melhor, já nasceu com todo o crédito possível para a realização do seu negócio. O único requisito para isso é nunca desistir, mudar o plano, reestruturar, reposicionar, aperfeiçoar, enfim, tudo é permitido, somente não desistir, se isso acontecer, então você terá uma dívida enorme para acertar consigo.

Agora, faça suas escolhas com equilíbrio, alegria e amor próprio, siga sempre em frente, confronte todos os desafios internos e externos, faça com que aquela pequena centelha divina escondida no seu íntimo apareça e aumente cada vez mais, para que, assim, você possa ser uma luz para o mundo.

E se lembre, você não está sozinho neste caminho, acompanhe-me pelo meu canal do YouTube e aproveite outras dicas: https://bit.ly/2QoIpR0